HOUELLEBECQ ÉCONOMISTE

DU MÊME AUTEUR

L'Homme dans la guerre : Maurice Genevoix face à Ernst Jünger, Grasset, 2013.
Plaidoyer (impossible) pour les socialistes, Albin Michel, 2012.
Marx, ô Marx, pourquoi m'as-tu abandonné ?, Les Échappés, 2010 ; Champs-Flammarion (n° 1058), 2013.
Capitalisme et pulsion de mort (avec Gilles Dostaler), Albin Michel, 2009 ; Pluriel, 2010.
Petits principes de langue de bois économique, Bréal et Charlie-Hebdo, 2008.
Le Making of de l'économie (avec Philippe Chalmin et Benjamin Dard), Perrin, 2008.
Gouverner par la peur (avec Leyla Dakhli, Roger Sue et Georges Vigarello), Fayard, 2007.
Antimanuel d'économie, vol. 2, « Les cigales », Bréal, 2006.
Le Journal, Albin Michel, 2005 ; Le Livre de Poche, 2007.
Antimanuel d'économie, vol. 1, « Les fourmis », Bréal, 2003.
L'Enfant qui voulait être muet, Albin Michel, 2003 ; Le Livre de Poche, 2005.
La Légitimation du discours économique, *Sciences de la société* n° 55, Presses universitaires du Mirail-Toulouse, 2002.
Malheur aux vaincus : ah, si les riches pouvaient rester entre riches… (avec Philippe Labarde), Albin Michel, 2002.
La Bourse ou la vie : la grande manipulation des petits actionnaires (avec Philippe Labarde), Albin Michel, 2000 ; Le Livre de Poche, 2001.
Keynes, ou l'économiste citoyen, Presses de Sciences Po, 1999.
Lettre ouverte aux gourous de l'économie qui nous prennent pour des imbéciles, Albin Michel, 1999 ; Points-Seuil, 2003.
Dieu, que la guerre économique est jolie ! (avec Philippe Labarde), Albin Michel, 1998.
Pertinentes questions morales et sexuelles dans le Dakota du Nord, Albin Michel, 1995 ; Le Livre de Poche, 2003.
Jacques Delors, artiste et martyr, Albin Michel, 1993.
Les Sept Péchés capitaux des universitaires, Albin Michel, 1991.
Les Politiques économiques conjoncturelles (avec Alain Couret), PUF, 1991.
Des économistes au-dessus de tout soupçon, ou la grande mascarade des prédictions, Albin Michel, 1990.
Éléments de politique économique : les expériences françaises d'après-guerre de 1945 à 1984, Privat SAS, 1985.

Bernard MARIS

HOUELLEBECQ ÉCONOMISTE

Flammarion

ISBN : 978-2-0812-9607-7

« Nous devons lutter pour la mise en tutelle de l'économie et pour sa soumission à certains critères que j'oserai appeler éthiques. »

(Michel Houellebecq, « Dernier rempart contre le libéralisme », in *Le Sens du combat*)

« Ainsi donc, l'auteur de ces essais continue d'espérer et de croire que le jour n'est pas éloigné où le Problème Économique sera refoulé à la place qui lui revient : à l'arrière-plan. »

(John Maynard Keynes, *Essays in persuasion*)

Prologue

Qui se souviendra des économistes ?

« Je n'ai jamais rien compris à l'économie. »

(*Plateforme*)

« Compte tenu de l'extraordinaire, de la honteuse médiocrité des "sciences humaines" au XXᵉ siècle… »

(*Sortir du XXᵉ siècle*, *Lanzarote*)

La « secte » disait-on du temps de Louis XV, pour ricaner des économistes[1] et de leurs raisonnements compliqués. Le mot est extraordinairement juste : il s'agit, dès le départ, d'une secte qui rabâche un discours hermétique et fumeux. On les respecte parce que l'on n'y comprend rien. La secte révère les mots abscons, l'abstraction et les chiffres. On opine à ses contradictions.

Comme jamais, notre époque est gorgée d'économie. Et si elle fuit le silence, shootée à la musique des supermarchés et au bruit des voitures tournant sur elles-mêmes, elle ne se passe plus non plus des rengaines de la *croissance*,

---

1. En ce temps-là, les physiocrates : Quesnay, médecin de la Pompadour, Dupont de Nemours, l'abbé Baudeau…

du *chômage*, de la *compétitivité*, de la *mondialisation*. Au chant grégorien de la Bourse, ça monte, ça baisse, répond le chœur des experts, emploi, crise, croissance, emploi. *Dismal science*, disait outre-Manche Carlyle[1]. Lugubre science. Diabolique et sinistre, l'économie est la cendre dont notre temps couvre son triste visage.

Qui se souviendra de l'économie, et de ses prêtres, les économistes ?

Dans quelques décennies, un siècle, plus tôt peut-être, il apparaîtra invraisemblable qu'une civilisation ait pu accorder autant d'importance à une discipline non seulement vide mais terriblement ennuyeuse, ainsi qu'à ses zélateurs, experts et journalistes, graphicomanes, aboyeurs, barons et débatteurs du pour et du contre (quoique l'inverse soit bien possible). L'économiste est celui qui est toujours capable d'expliquer *ex post* pourquoi il s'est, une fois de plus, trompé.

Discipline qui, de science, n'eut que le nom, et de rationalité que ses contradictions, l'économie se révélera l'incroyable charlatanerie idéologique qui fut aussi la morale d'un temps. Vous

1. Thomas Carlyle (1795-1881), historien iconoclaste et satiriste écossais.

n'y comprenez rien ? Rassurez-vous : il n'y a rien à comprendre, pas plus qu'il n'y avait de vêtement somptueux à voir sur le corps nu du roi. Qu'un prix international, baptisé « Nobel » par ceux qui en usurpent le nom – des banquiers autopromus donateurs du prix éponyme –, eût été remis pour des bavardages émaillés d'équations à des chercheurs de chimères[1] paraîtra un jour aussi étrange, ou du moins du même tabac, que l'inscription sur un livre traduit en deux cents langues du record du plus grand ouvreur de canettes de bières avec les dents. Et les livres d'économie ne mériteront même plus la critique rongeuse des souris.

Mais personne n'a oublié les casuistes. Pascal n'eût pas écrit *Les Provinciales*, ce texte enjoué et violent, qui se souviendrait des casuistes ? Loin de nous l'idée de comparer aux jésuites ratiocineurs les économistes – saint Ignace de Loyola a tout de même une autre gueule que Walras ! –, mais, sans l'œuvre de Houellebecq, personne ne se souviendra plus jamais de l'économie et de ces étranges casuistes qu'auront été les économistes.

1. On pourrait imaginer un prix Nobel de coiffure, de saut à l'élastique... Et pourquoi pas de psychologie ?!

À *Houellebecq économiste*, il y a deux raisons, et une origine.

La raison mineure : comme Pascal pour une autre nuisible et raisonneuse engeance, Houellebecq sauve les économistes de leur néant et leur donne le temps que durera son œuvre. Il croit à sa durée. Il a raison. Sa renommée portera l'idéologie de la concurrence comme celle d'Homère porte encore les clameurs du combat sous la porte Scée d'Ilion. Il évoque Marx, Malthus, Schumpeter, Smith, Marshall, Keynes, d'autres. Il parle de compétition, de destruction créatrice, de productivité, de travail parasitaire et de travail utile, d'argent, de bien d'autres choses, et il en parle mieux que les économistes, car il est écrivain.

Tous les écrivains dignes de ce nom feront une meilleure psychologie que Freud, qui savait écrire, et une meilleure sociologie que ce cher Bourdieu, qui ne savait pas. Ne parlons pas de philosophie : aucun philosophe ne peut prétendre atteindre au centième de la vérité portée par un grand roman – et d'ailleurs, aucun philosophe honnête ne s'amuserait à dire le contraire. Voyez, entre mille exemples, les ronds de jambe du touffu Deleuze autour de Kafka. D'Artagnan, médiocre argousin, existera aussi longtemps que *Les Trois Mousquetaires*, le

Grand Inquisiteur que *Les Frères Karamazov*, et Joseph Alois Schumpeter, piètre ministre des Finances et vague théoricien de l'innovation, que *La Carte et le territoire*.

La raison majeure est plus noble. Toujours, nous chercherons chez les écrivains, et particulièrement chez les romanciers, un fragment de la vérité de ce monde où nous sommes jetés et qui nous angoisse. Eux savent parler de la mort, de l'amour, et du malheur – plus rarement du bonheur, dont les économistes proposent une quantification, par le PIB, et les alter-économistes une alter-quantification[1].

Ce que des économistes et des psycho-sociologues abstrus cherchent en vain à tirer de notre vie pour nous le restituer à grandes pelletées de théories et de chiffres, en nous faisant mastiquer à longueur de débat de radio ou de télé ce qui ressemble à de la sciure de bois mélangée à de la cendre, Houellebecq nous l'offre sous la forme délicieuse d'un roman ou d'un poème. Chacun de ses opus filtre et purifie des tonnes de papier entassées dans des milliers de bibliothèques « savantes ».

1. Les altermondialistes utilisent des indices de développement économique, de développement humain, de développement durable, etc.

De Michel Houellebecq je ne connais que les livres. Mais j'ai ouï dire qu'il savait un peu d'informatique, de logique et de sciences naturelles. Ses ouvrages fourmillent de références universitaires académiques. Informaticien, un algorithme, auquel par définition est associé le concept d'optimalité (efficacité, *efficience*, pour traduire les Anglo-Saxons), concept chéri des économistes, ne lui est pas indifférent ; il était normal que l'hyper-rationalisme de l'économie et sa façon binaire propre à l'ubiquitaire *loi de l'offre et de la demande* de voir les choses (« Le prix monte ? J'en veux moins ; ça baisse ? J'en veux plus ! ») lui *parle*, comme on dit dans le métro.

Pour comprendre la vie, les économistes ne cessent d'en chasser le sel, l'amour, le désir, la violence, la peur, l'effroi, au nom de la rationalité des comportements. Ils traquent pour la détruire cette « émotion qui abolit la chaîne causale[1] ».

Ils ont construit une économie du crime, où des bandits rationalisent leurs comportements

1. *Rester vivant*, La Différence, 1991 ; texte repris in *Rester vivant* suivi de *La Poursuite du bonheur*, Flammarion, 1997, *Rester vivant et autres textes*, Librio, 1999, *Poésies*, *op. cit.* et *Poésie*, *op. cit.*

criminels et leurs prises de risques en fonction des sanctions probables et des butins futurs. Ils ont inventé un choix optimal du nombre d'enfants, selon lequel des familles balancent entre peu d'enfants de bonne qualité ou beaucoup de mauvaise. (Authentique : on donna même ce prix dit Nobel à l'idiot qui bâtit cette élucubration, Gary Becker.)

La Mort elle-même n'en menait pas large quand un autre prix Nobel, Gérard Debreu, expliqua que le grand enjeu des sociétés tenait à la durée de vie des très vieux : fallait-il les débrancher plus tôt, pour faire des économies de Sécurité sociale, ou les maintenir à tout prix dans les limbes du trépas, pour créer des emplois de jeteurs de couches usagées ? Ça se pèse...

Un troisième, bientôt prix Nobel (Larry Summers), nota sur les mêmes bases qu'il valait mieux déverser la pollution du Nord dans les pays du Sud, particulièrement en Afrique, et y faire crever les autochtones – plutôt noirs et fort mal payés – que la conserver là-haut et y faire crever les locaux – plutôt blancs et beaucoup mieux payés. En termes de revenu mondial économisé, l'humanité y gagnait beaucoup.

On pourrait multiplier les exemples. Certains économistes considèrent que l'existence d'un marché aux esclaves au sud des États-Unis permit, pour des raisons de conservation de la valeur, d'économiser beaucoup plus de chair humaine que les camps de concentration. Il y a un certain humour noir dans l'économie – apprendre, au moment des vœux du président de la République et à propos de l'« inversion de la courbe du chômage », que les trois cents plus gros milliardaires dans le monde ont engrangé 530 milliards de dollars de plus en un an est assez plaisant. L'économie relève de l'humour cynique. D'humour, Michel Houellebecq n'en manque jamais – comme Céline –, de cynisme, totalement – contrairement à Céline.

Sans doute le petit parfum économique de l'œuvre de Houellebecq participe-t-il de la couleur « grise » dont on qualifia son humour[1].

Depuis Adam, l'homme souffre. Tous ces raisonnements socio-psycho-philosophiques, et maintenant économiques, qui bourdonnent autour de l'humanité en souffrance comme mouches autour du futur cadavre, devaient

1. Dominique Noguez, *Houellebecq, en fait*, Fayard, 2003.

frapper un grand écrivain. Personne ne parlera de l'homme face à la mort comme Tolstoï dans *Ivan Illich*, de l'amour comme Mme de La Fayette avec *La Princesse de Clèves*, de la haine comme Céline ou de l'horreur mélancolique du temps qui passe comme Proust et Houellebecq – « On a beau ne pas vivre, on prend quand même de l'âge[1] », dirait Michel au chéri Marcel. Mais, à ma connaissance, aucun écrivain n'est arrivé à saisir le malaise économique qui gangrène notre époque comme lui[2].

Certes, il y avait *Les Illusions perdues*, ou *L'Argent*, ou *La Curée*, ou *Bel-Ami*, voire *Le Premier Homme* (qui commence sur un meurtre « monétaire ») et, peut-on dire, tous les grands romans. Dès qu'il s'agit d'ambition, de cruauté, d'égoïsme, la passion, l'argent, le fric, la réussite ou la chute se mêlent aux crimes et aux roucoulades. Mais personne n'a surpris cette petite musique économique, ce fond sonore de supermarché qui, de ses notes lancinantes et fades, pollue notre existence, ces acouphènes de la pensée quantifiante – gestion, management,

1. « Chômage », in *Le Sens du combat*, Flammarion, 1996 ; recueil repris in *Poésies*, J'ai Lu, 2006 et *Poésie*, J'ai Lu, 2010.

2. On m'objectera... Oui ? Qui ? Des noms, des noms !

placement, retraite, assurance, croissance, emploi, PIB, concurrence, publicité, compétitivité, commerce, exportations… – qui tombent goutte à goutte sur notre tête et rongent notre cerveau au point de nous rendre fous. Car notre époque est folle dans sa prétention à masquer ce qui a torturé et torturera les hommes jusqu'à ce que l'humanité disparaisse (hypothèse houellebecquienne) : l'amour et la mort.

Qu'on ne se méprenne pas sur notre titre ! Faire de Houellebecq un économiste serait aussi honteux que d'assimiler Balzac à un psycho-comportementaliste.

Je ne voudrais pas non plus, à mon corps bien défendant, détourner par une collante étiquette de la lecture du plus grand écrivain français de ce temps le *cadre*, ce pauvre cadre qui est le héros houellebecquien par excellence, si par hasard il consentait à lever les yeux de ses tableaux Excel consultés jusque dans le lit conjugal pendant que Madame rêve à son amant… Non plus que de laisser accroire que l'on va s'amuser à comprendre l'économie avec lui.

D'abord, il n'y a jamais, jamais, jamais rien à comprendre – je répète –, et un roman ou un poème est l'antiéconomique même. Non. De même que, lisant Kafka, vous comprenez que votre monde est une prison, et, lisant Orwell, que la nourriture que l'on y sert est le mensonge, lisant cet aspect économique de Michel Houellebecq que je vais vous dévoiler, vous saurez – mais ne le savez-vous pas au fond ? – que la glu qui freine vos pas, vous amollit, vous empêche de bouger et vous rend si triste et si tristement minable, est de nature économique. Rimbaud écrivit au détour d'un poème les *horreurs économiques*[1], et Viviane Forrester en fit un beau livre haï de l'intelligentsia (bon signe !). Et vous allez désormais goûter du Michel Houellebecq en comprenant – ah, mais décidément, vous l'aviez compris ! – qu'il vous vaccine contre l'économie.

Ses livres relèvent de la santé publique. Voir que notre époque est quadrillée par la science sinistre et la statistique, laquelle est étymologiquement au cœur de la raison d'État et de sa volonté de normer par la « loi Normale[2] » le monde, est une chose ; approcher ensuite les deux raisons de vivre, ou survivre, houellebecquiennes

1. « En quelque soir, par exemple, que se trouve le touriste naïf, retiré de nos horreurs économiques, la main d'un maître anime le clavecin des prés… » (« Soir historique », in *Les Illuminations*, 1872-1875, parues en 1886)
2. Loi de base de la statistique.

– la bonté et l'amour – en est une autre, autrement oxygénante.

Nietzsche avait cru que la science mettrait à mal la philosophie. Faux. Elle fut remplacée par les pseudo-sciences, en tête desquelles l'économie, dont l'hyperbolisme mathématique dissimule le néant conceptuel. La mathématique est, avec le jargon, la ruse mimétique qui dissimule le cancer économique dans le corps social.

Que la société – il vaudrait mieux dire l'humanité – meure de l'économie est, pour une fois, tout à fait *prévisible*. C'est la prévision de Michel Houellebecq.

Que l'assassin soit démasqué est une bonne chose.

Avouons maintenant qu'à l'origine de ce livre, il y a une révélation : *La Carte et le territoire*. Un grand roman d'amour, comme tous les romans de Houellebecq, mais aussi une fine analyse du travail, de l'art, de la création, de la valeur, du progrès, de l'industrie, et de la « destruction créatrice » chère au grand économiste Joseph Schumpeter ; bref, tout ce qui ravit un spécialiste d'économie spatiale et industrielle quand il sait lire.

Partant de cette découverte, il suffisait de décliner les majeures des autres romans : *Extension du domaine de la lutte* parlait du libéralisme et de la compétition, *Les Particules élémentaires* du règne de l'individualisme absolu et du consumérisme, *Plateforme* de l'utile et de l'inutile et de l'offre et de la demande de sexe, *La Possibilité d'une île* de la société post-capitaliste ayant réalisé le fantasme des « *kids* définitifs » que sont les consommateurs, la vie éternelle. Et chaque roman reprenait le refrain des autres : la compétition perverse, la servitude volontaire, la peur, l'envie, le progrès, la solitude, l'obsolescence, etc., etc. Non seulement reprenait, mais renvoyait nommément aux grands économistes – Schumpeter, Keynes, Marshall, Marx, Malthus –, ou aux grands penseurs – Fourier, Proudhon, Orwell, William Morris.

Le programme allait de lui-même : 1) le règne des individus, 2) l'entreprise, 3) les consommateurs insatiables, 4) l'art et le travail, et enfin, 5) la véritable fin de l'histoire et la fin de l'espèce, autrement dit l'au-delà du capitalisme. Une déambulation dans les poèmes et les essais, pour retrouver sans surprise ces cinq thèmes majeurs, et le tour était joué.

Prologue

Commencer par les individus, finir par la mort de l'espèce est assez logique ; mais voir comment Houellebecq utilise et détruit la pensée économique n'a pas fini de surprendre.

Chapitre premier

Le règne absolu des individus ou Alfred Marshall

« Et si nous avons besoin de tant
d'amour, à qui la faute ?
Si nous ne pouvons radicalement
pas nous adapter
À cet univers de transactions généralisées
Que voudraient tant voir adopter
Les psychologues, et tous les
autres ? »

(« Confrontation »,
La Poursuite du bonheur)

« J'entends les autobus et la rumeur
subtile
Des échanges sociaux. »

(*Le Sens du combat*)

Rien n'est collectif. Les individus sont des atomes perpétuellement en conflit ou en transaction. Il n'y a que des singes, vaguement supérieurs, soumis à une sorte de mouvement brownien permanent, et qui en souffrent. « La souffrance est la conséquence nécessaire du libre jeu des parties du système[1]. » Collectif, communauté, association, société, altruisme, générosité, bonté, sont des mots qui n'existent pas pour les économistes.

Par une curieuse ruse de la raison, l'antagonisme des égoïsmes crée ce que les économistes appellent un *équilibre* : ce n'est pas de la bienveillance du boulanger ou du boucher que j'obtiens un morceau de pain ou de viande, mais de leur égoïsme, de leur froide raison.

---

1. *Rester vivant*, *op. cit.*

Ainsi parlait Adam Smith. Ainsi parle Michel Houellebecq : « Nous sommes devenus froids, rationnels [...] ; nous souhaitons avant tout éviter l'aliénation et la dépendance[1]. »

Il n'en a pourtant pas toujours été ainsi. Pour les grands économistes classiques (Smith, Ricardo, Malthus, et Marx après eux) existent des classes – les rentiers, les entrepreneurs, les salariés. Mais après Marshall[2] n'existent plus que des individus utilitaristes. Autrement dit, ces individus sont « rationnels » : ils agissent selon la loi de l'offre et de la demande, loi fondamentale de l'économie, et selon la quantification des plaisirs et des peines en termes d'argent.

C'est faux, bien sûr. Les individus, particules élémentaires hasardeuses elles-mêmes composées de particules élémentaires hasardeuses, quoique totalement égoïstes, sont totalement irrationnels. Oui, « seul l'égoïsme existe. Rien ne permet une transgression aux lois universelles de l'égoïsme et de la méchanceté[3]. » Mais

1. *Plateforme*, Flammarion, 2001 ; J'ai Lu, 2002.

2. Alfred Marshall (1842-1924), professeur et ami de Keynes, cité par Michel Houellebecq.

3. *H. P. Lovecraft : contre le monde, contre la vie*, Le Rocher, 1991 ; J'ai Lu, 1999.

pour autant, les individus, agrégats transitoires de particules élémentaires se heurtant à d'autres particules élémentaires, ne sont pas rationnels.

Hélène, l'épouse de l'enquêteur de *La Carte et le territoire*, est prof d'économie. Son bichon bâille ou jappe à l'évocation de Schumpeter ou de Keynes. « L'existence d'agents économiques irrationnels était depuis toujours la *part d'ombre*, la faille secrète de toute théorie économique[1] », dit-elle. Son intérêt pour l'économie a beaucoup décru au fil des ans. De plus en plus, les théories qui tentaient d'expliquer les phénomènes économiques lui semblaient inconsistantes, hasardeuses, et relevant du charlatanisme pur et simple…

En quoi une discipline qui ne parvient même pas à faire des pronostics vérifiables pourrait-elle être considérée comme une science ?

Hélène évoque Popper[2] et sa notion de *réfutabilité* comme critère de démarcation entre science et pseudo-science. « Il était même surprenant […] qu'on attribue un prix Nobel

1. *La Carte et le territoire*, Flammarion, 2010 (prix Goncourt 2010) ; J'ai Lu, 2012.

2. Karl Popper (1902-1994), philosophe et épistémologue autrichien.

d'économie, comme si cette discipline pouvait se prévaloir du même sérieux méthodologique, de la même rigueur intellectuelle que la chimie, ou que la physique[1]. » Elle sourit quand elle voit un expert parler de la crise boursière : dans une semaine, on va apprendre que tous ses pronostics étaient faux. Ce n'est pas grave, on appellera un autre expert (voire le même), et il fera de nouveaux pronostics avec la même assurance. Elle est désabusée. « Sa vie professionnelle pouvait en somme se résumer au fait d'enseigner des absurdités contradictoires à des crétins arrivistes. »

Alors ? Pourquoi fait-elle de l'*éco* ? Par lassitude, par lâcheté, les défauts les mieux partagés. Elle en retire quelques bénéfices symboliques, un statut à l'université ; elle participe aux charges du ménage. Mais elle enseigne une discipline qu'elle méprise. Et Houellebecq, qui regarde parfois « sur LCI de fastidieux débats économiques », de conclure : « L'économie n'était reliée à presque rien, à ce qu'il y a de plus machinal, de plus prévisible, de plus mécanique chez un être humain. Non seulement ce n'était pas une science, mais ce n'était pas un

1. *La Carte et le territoire*, *op. cit.*

art, ce n'était en définitive à peu près rien du tout. »

« Mécanique et machinal » : c'est un jugement redoutable qui perce au cœur la discipline grise. *Rational fools*, écrivait le prix Nobel d'économie Amartya K. Sen[1], des « imbéciles rationnels », tout juste capables de saliver un peu plus si les prix baissent, et un peu moins si les prix montent. Des animaux aux réactions aussi simples que le chien de Pavlov, simplement aptes à répondre à des stimuli monétaires : un peu plus de salaire et tu travailles plus, un peu moins cher et tu achètes plus. Point.

Or l'homme est un animal autrement complexe et intéressant. Personne ne travaille que pour de l'argent, personne n'a de comportement d'achat entièrement rationnel. C'est cette « indétermination fondamentale des motivations des producteurs, comme de celles des consommateurs, qui rend les théories économiques si hasardeuses et en fin de compte si fausses[2] », dit Hélène. C'est une phrase bouleversante.

---

1. Amartya K. Sen, *Rational Fools : A Critique of the Behavioural Foundations of Economic Theory*, Philosophic and Public Affairs, 1977.

2. *La Carte et le territoire*, *op. cit.*

Toute la critique radicale de Keynes vis-à-vis de l'économie de Marshall tient en elle. Tout est dans le terme « indétermination ». En introduisant l'incertitude radicale en économie, Hélène-Keynes ruine la discipline et songe à la réalité de la vie, à ses passions, ses engouements, ses mimétismes, ses peurs, ses mouvements de foule qu'on retrouve par exemple dans les phénomènes boursiers. Et Houellebecq de disserter sur le crime et sur l'art. Voilà des actes profondément humains. Comme le travail.

Vous direz : il existe bien une *loi de l'offre et de la demande*… Oui. Arrêtons-nous sur elle.

Il y a bien une loi de l'offre et de la demande du sexe, dit Houellebecq, les pays riches achetant le sexe des pauvres, ou une loi de l'offre et de la demande du tourisme, des pays comme la France vendant leur tourisme à des nouveaux riches comme les Chinois. La loi de l'offre et de la demande vient souvent étayer les pensées des personnages : ainsi, « la valeur marchande de la souffrance et de la mort était devenue supérieure à celle du sexe », songe Jed Martin dans *La Carte et le territoire*. La loi de l'offre et de la demande s'applique à sa propre production artistique : Jed connaît sa *valeur de marché*. Mais ce qu'il vaut vraiment, il l'ignore.

Le statut épistémologique de la loi de l'offre et de la demande relève du café du commerce. Elle est une lapalissade, d'une banalité à peu près équivalente à « il faut que jeunesse se passe » ou « demain il fera beau s'il ne pleut pas ». Elle est évidemment largement controuvée : n'importe quel phénomène spéculatif, moutonnier ou *de foule* fait augmenter la demande quand les prix augmentent, par exemple. La loi de l'offre et de la demande dit « les prix montent après avoir baissé » ou « baissent après avoir monté ». Et Keynes pointait, ironique : cela revient à dire qu'après la tempête la mer se calme. Tout finit par retourner à l'équilibre. Tout finit par s'arranger. Mal, mais finit par s'arranger.

Alors comment expliquer la vie sociale ?

La vie sociale ressemble à un écheveau emmêlé. Nombreux sont ceux qui se sont acharnés à le défaire – des sociologues (Durkheim), des anthropologues (Mauss), des psychologues (Le Bon) et, bien entendu, des économistes. Mais sur les autres, les économistes ont un immense avantage : ils pensent que le social n'existe pas.

C'est ce que disait Margaret Thatcher, dont la pensée fut exactement *économique* : « La société n'existe pas[1]. » Il n'y a pas de société, de collectivité ; il n'y a que des individus qui échangent, des mots, des regards, des biens, de l'argent, que sais-je, sauf qu'au commencement de tous ces actes est l'individu calculateur et rationnel, peseur du pour et du contre, des avantages et des inconvénients, jusque dans le désir d'aller se pendre, lorsque le coût de sa vie devient trop fort par rapport aux maigres avantages qu'elle apporte.

En France, le décret d'Allarde et la loi Le Chapelier abolirent les corporations et les corps intermédiaires, de sorte que, disait le législateur, il n'est permis à personne de séparer les citoyens de la chose publique par un esprit de coopération. En haut l'État, en bas une poussière d'individus. Entre les deux : l'économie.

Sur cette hypothèse, cette monadologie première, les économistes ont empilé leurs théorèmes.

---

1. « Vous savez, la *société* n'existe pas. Il y a des individus, hommes ou femmes, et il y a des familles. Et aucun gouvernement ne peut agir, si ce n'est à travers les gens, et les gens doivent d'abord s'occuper d'eux-mêmes. Il est de notre devoir de nous occuper de nous, et ensuite de nous occuper de notre voisin. Les gens ont trop à l'esprit leurs avantages, sans les obligations concomitantes. Un avantage n'existe pas avant que quelqu'un n'ait rempli une obligation. » (Interview au magazine *Woman's Own*, septembre 1987)

Leur idée de la vie sociale sera donc un « univers de transactions généralisées » qui débouchera sur ce que déteste Houellebecq : le bonheur quantifiable.

Nous baignons dans ce qu'ils appellent l'« individualisme méthodologique ». Autrement dit, nous nous percevons, au nom de l'économie, comme des atomes, autonomes et pensants ; et ainsi vivent les personnages de Michel Houellebecq, dans une solitude absolue, la solitude de l'individualisme soi-disant rationnel.

Tout, dans l'économie, est fait pour briser les liens qui pouvaient unir les individus à leur famille, leurs géniteurs, des proches. Houellebecq conte ce processus d'individuation, d'atomisation des sociétés qui, déjà, avait fasciné Marx. L'économie libérale brise tout ce qui est collectif : l'équipe au travail, la famille, le couple. En ce sens, la libération sexuelle relève d'une explosion « de l'individualisme et a pour effet la destruction de ces communautés intermédiaires, les dernières à séparer l'individu du marché[1] ». C'est dans *Les Particules élémentaires* notamment qu'est décrite – poétisée serait plus juste

1. *Les Particules élémentaires*, Flammarion, 1998 ; J'ai Lu, 2000.

– cette « détestable tendance à l'atomisation sociale ».

La dissolution progressive, au fil des siècles, des structures familiales et sociales, l'effritement de tous les liens collectifs, la pulvérisation de la société en une multitude de monades en chocs perpétuels les unes contre les autres, se heurtant désespérément et sans fin, font que nous nous percevons comme des particules isolées, soumises à la loi des chocs. Pauvres petites particules individuelles, pauvres agrégats provisoires...

Tout ceci nous conduit à une dissolution généralisée et, tenez-vous bien, au meurtre et au malheur. « La conséquence logique de l'individualisme c'est le meurtre, et le malheur[1]. » Ce système socio-économique des particules humaines se heurtant sans trêve les unes aux autres conduit l'humanité à se précipiter « vers une catastrophe à brève échéance, et dans des conditions atroces. [...] Nous avançons vers le désastre, guidés par une image fausse du monde. [...] Cela fait cinq siècles que l'idée du

1. Entretien avec Jean-Yves Jouannais et Christophe Duchatelet, *Art Press*, n° 199, février 1995 ; repris dans *Interventions*, Flammarion, 1998.

moi occupe le terrain ; il est temps de bifurquer[1]. »

Cette image fausse, c'est l'économisme, qui permet de rationaliser n'importe quel phénomène en le quantifiant à partir d'un supposé calcul d'agents responsables.

Exemple. Les économistes ont calculé que les chauves-souris rapportaient 22,9 milliards de dollars aux Américains, soit la valeur des pesticides qu'elles permettent d'économiser et du travail pour déverser ces pesticides. Ainsi, le *travail* de la chauve-souris est rationalisé par un calcul résultant lui-même de l'offre et de la demande d'individus supposés rationnels (consommateurs et producteurs de produits agricoles).

On objectera que l'on n'a pas attendu les économistes pour considérer, depuis Benjamin Franklin, que toute action humaine, à l'origine d'une peine ou d'un plaisir, est mesurable en argent. Et bien avant, un certain Descartes, qui isolait l'homme et sa pensée face au monde, et bien avant encore, la doctrine chrétienne, pour laquelle chaque pécheur infinitésimal est face à son Infini Dieu Tout-Puissant. Et Marx de

1. *Ibid.*

remarquer que le christianisme était à l'origine des « eaux glacées du calcul égoïste », phrase célébrissime reprise par Houellebecq.

Certes. Mais dans cette désagrégation et la fabrication de cet hyper-narcissisme, nihiliste et cynique, la responsabilité des économistes est grande, car la litanie de leurs raisonnements est reprise en boucle, au point de devenir vérité d'évidence. Les économistes ont quantifié la toute-puissante raison.

Mais voilà le pire.

Les hommes ne sont pas « raisonnables » ? Peu importe, disent les économistes : ils sont raisonnables « malgré eux ». Leurs comportements sont *rationalisables*. Et puisqu'ils sont rationalisables *ex post*, après leurs actes, c'est « comme si » ils étaient rationnels *ex ante*[1].

Autrement dit, tout comportement – même le plus bizarre – peut être expliqué par un calcul *avantages-inconvénients*, ou *coûts-bénéfices*. Chacun, quoi qu'il fasse, fait un calcul coûts-bénéfices, « toutes choses égales par ailleurs »,

1. Le prix Nobel Milton Friedman a largement développé cet étrange raisonnement. Peu importe que les prémisses soient fausses, pourvu que les conclusions soient justes… Authentique ! On reste pantois devant un tel esprit antiscientifique.

à environnement donné, si l'on préfère, dans un univers *paramétrique*[1], dirait Houellebecq.

Beaucoup plus banalement, les commerciaux ont repris cette hypothèse en cherchant du côté des neurosciences et des comportements hormonaux pour prévoir les désirs qu'ils transformeront en consommation. En ce sens, l'économie participe de ce « besoin de certitude rationnelle auquel l'Occident a finalement tout sacrifié : sa religion, son bonheur, ses espoirs, et en définitive sa vie[2] ». L'économie donne la certitude, non du rationnel mais, pire, du rationalisable.

Même si vous n'êtes pas rationnel, votre comportement l'est *a posteriori*, toujours.

Or le bonheur est incompatible avec l'usage de la raison. Paradoxe de la « science » du bonheur quantifié qui, méthodologiquement (et, moralement, par ses terribles injonctions : calcule, épargne, optimise !), tue le bonheur.

Bien évidemment, les hommes ne sont ni rationnels ni calculateurs. C'est pourquoi ils sont surprenants, avec leurs passions, leurs peurs, leurs joies, leurs doutes, leurs naïfs désirs, leurs frustrations, et beaucoup de choses

1. Que les acteurs ne peuvent modifier.
2. *Les Particules élémentaires, op. cit.*

comme le mal au dos. C'est faux surtout – et ici, nous solliciterons notre auteur –, parce qu'ils sont soumis à ces deux « handicaps » majeurs que sont l'amour, et la peur du vieillissement et de la mort, deux notions insupportables au bipède. Ne pas vieillir, aimer : deux axes majeurs des romans de Houellebecq.

La prétendue autonomie des êtres rationnels n'est que « l'infinie pulsation du transitoire ». Quelle belle formule ! Isolé, vous n'êtes rien, une carte de crédit sur une échelle de revenus. L'individu qui se croit libre, libéré des entraves des appartenances, des fidélités, des liens, des coutumes, des devoirs du vassal comme de ceux du suzerain, n'est qu'un bref moment dans un système de transactions généralisées, une *valeur d'échange*, un point dans des graphiques dressés par des imbéciles, un chiffre dans un tableau.

L'homme achevé de ce tourbillon permanent est le *trader*. Directement branché sur le marché, il n'a plus besoin de salaire, de culture de l'entreprise, de rien, et spécule sur cet objet absolument neutre, insaisissable et social qu'est l'argent. Totalement désengagé, il ne sait même plus ce qui est privé, public ; son rôle est de surfer sur le chaos. Il échappe, croit-il, aux deux « attracteurs étranges » de ce monde constamment chamboulé – répétons : l'amour, et la peur de vieillir.

On doit craindre les économistes. Car l'économie est plus qu'une élucubration métaphysique ; elle est une morale de fer. Tu dois agir rationnellement dans un calcul coûts-bénéfices ; tu dois être intéressé ; tu dois aimer l'argent ; tu dois monétiser ta vie, tes choix, tes envies. Tu dois être rationnel et intéressé. Et même si tu es désintéressé, c'est que tu es intéressé. Car tu cherches implicitement des profits monétaires ou symboliques dans ton désintéressement. Tu es altruiste ? C'est que tu es égoïste et rationnel dans ta générosité qui te procurera quelque avantage. Coûts, avantages. Tu participes aux Restos du cœur ? Tu es un froid calculateur qui recherche des profits moraux ou autres. Tu te pends ? Tu as calculé que ta vie ne valait plus rien et as économisé pour une corde. Coûts, avantages. Égoïste, altruiste ? Il est parfois moins coûteux pour toi d'être altruiste.

Cet aspect normatif de l'économie est essentiel. L'économie n'est pas une idéologie vague, mais une idéologie précise, vicieuse, délétère, pire que ne le furent les religions. Car toute religion, même la plus bête (celle qui fut inventée par des « Bédouins crasseux qui n'avaient rien d'autre à faire – pardonnez-moi – que d'enculer leurs chameaux[1] »), recèle une part d'imaginaire. On ne se débarrasse pas, hélas, aussi facilement de l'économie que de la religion. Elle est au-delà de la science. Après le christianisme, il y eut la science (« Notre religion, c'est la science », Auguste Comte), puis l'économie qui est un retour du pire religieux, le religieux rationalisé.

Le déclin du christianisme a donné naissance au matérialisme et à la science moderne, avec deux grandes conséquences : le rationalisme et l'individualisme, les deux mamelles de l'économie. Mais Houellebecq ajoute : l'individualisme va se nourrir de la compétition sexuelle et matérielle.

La compétition économique est une métaphore de la maîtrise de l'espace et du temps. Elle exprime la lutte contre la rareté, la rareté étant l'essence du problème économique. Quand il y a abondance, il n'y a pas d'économie ; c'est pourquoi les marxistes ont toujours recherché l'abondance, le retour au paradis, à la prise au tas.

La compétition favorise l'individuation et réciproquement, et avec elles naissent la haine,

1. *Plateforme*, *op. cit.*

la vanité, le désir. Le désir, contrairement au plaisir, est une source de souffrance et de détestation, car il est destiné à être insatisfait. Et l'économie attise perpétuellement le désir, donc l'insatisfaction et le malheur.

« Augmenter les désirs jusqu'à l'insoutenable tout en rendant leur réalisation de plus en plus inaccessible, tel était le principe unique sur lequel reposait la société occidentale[1]. » En revanche, ceux qui prétendirent éteindre le désir – Platon, Fourier – sont dans la bibliothèque de Michel Houellebecq, personnage de *La Carte et le territoire*.

Ainsi l'économie décrit un monde sans lien, c'est-à-dire sans amour et sans bonté (mot chéri du romancier). « L'amour lie, et il lie à jamais. La pratique du bien est une liaison, la pratique du mal une déliaison. La séparation est l'autre nom du mal ; c'est, également, l'autre nom du mensonge[2]. » Le bien, le bon – quelle horreur ! pour les êtres froids et rationnels construits par l'économie. L'économie nous a contaminés.

1. *La Possibilité d'une île*, Fayard, 2005 ; Le Livre de Poche, 2007 ; J'ai Lu, 2013.

2. *Les Particules élémentaires*, *op. cit.* Pour mémoire, « diable » vient de *diabolos*, la « division » ou le « mensonge ».

Nous avons peur. Nous souhaitons éviter toute aliénation et toute dépendance à autrui, nous vivons dans un monde où le plus grand luxe consiste à se donner les moyens d'éviter les autres.

On retrouve ici la fonction fondamentale de l'argent, selon Georg Simmel : l'argent est ce qui permet de ne plus regarder les hommes dans les yeux. Et nous ne les regardons plus jamais, les yeux vissés sur nos ordinateurs ou nos Smartphone, attentifs à préserver notre solitude égoïste. Chacun pour soi. Tous dans la guerre. Tous dans cette guerre économique permanente qui est la toile de fond des romans de Houellebecq depuis *Extension du domaine de la lutte* et qui est devenue un état de nature.

Pourquoi ses romans connaissent-ils un tel succès ? Parce qu'il est le premier à avoir mis en musique avec autant de talent cette guerre. « Le capitalisme est dans son principe un état de guerre permanente, une lutte perpétuelle qui ne peut jamais avoir de fin[1]. » Si la souffrance des héros de Dostoïevski est liée à la mort de Dieu, celle des héros de Houellebecq naît de la violence perpétuelle du marché.

1. *Plateforme*, *op. cit.*

Avouons notre stupéfaction : l'art du romancier est d'autant plus extraordinaire qu'il n'y a pas plus trivial, antipoétique que l'économie. L'économie réduit les mille et une dimensions poétiques de la vie à deux dimensions : l'argent en abscisse, la rationalité en ordonnée. Un univers absolument plat. Comme Baudelaire et Mallarmé ont su tirer de l'Ennui une poésie magnifique, Houellebecq utilise la cendre du marché pour nous entraîner dans des romans éblouissants. Poète portant au pinacle Baudelaire, lui aussi transforme l'ennui en or, l'ennui de cette science « effroyablement ennuyeuse », comme dit le héros de *Plateforme*.

Houellebecq déteste le libéralisme, l'idéologie des individus libres luttant tous contre tous. Il l'a redit dans *Ennemis publics*, il l'avait magnifiquement écrit dans un poème, « Dernier rempart contre le libéralisme » :

> « Nous refusons l'idéologie libérale parce qu'elle est incapable de fournir un sens, une voie à la réconciliation de l'individu avec son semblable dans une communauté que l'on pourrait qualifier d'humaine[1]. »

1. « Dernier rempart contre le libéralisme », in *Le Sens du combat*, *op. cit.*

Et notre poète d'ajouter que, quand il entend parler de « coût social » d'une opération de licenciement, il lui prend l'« envie furieuse d'étrangler une demi-douzaine de conseillers en audit[1] ». L'individu, à qui l'on serine perpétuellement les joies de l'initiative individuelle, est un

> « petit animal à la fois cruel et misérable
> Et qu'il serait bien vain de lui faire confiance à moins qu'il ne se voie repoussé, enclos et maintenu dans les principes rigoureux d'une morale inattaquable,
> Ce qui n'est pas le cas.
> Dans une idéologie libérale, s'entend[2]. »

Car la morale de l'idéologie libérale est au contraire : sois égoïste et cruel. Domine et tue ton prochain. Abuse de lui. Freud avait écrit exactement la même chose dans *Malaise dans la civilisation*[3].

1. *Ibid.*
2. *Ibid.*
3. Sigmund Freud, *Malaise dans la civilisation*, 1929 ; trad. 1934.

Chapitre 2

L'ENTREPRISE ET LA DESTRUCTION CRÉATRICE ou Joseph Schumpeter

« VALÉRIE – Est-ce que tu crois que c'est ce qu'on appelle *l'économie de l'offre* ?
MICHEL – Je n'en sais rien… […] Je n'ai jamais rien compris à l'économie ; c'est comme un blocage. »

(*Plateforme*)

« Il habitait un pavillon à Chevilly-Larue, au milieu d'une zone en pleine phase de "destruction créatrice", comme aurait dit Schumpeter. »

(*La Possibilité d'une île*)

« Il avait l'air d'un technico-commercial ; il avait l'air au bout du rouleau. »

(*La Carte et le territoire*)

« Les cadres montent vers leur calvaire
Dans des ascenseurs de nickel »

(*Le Sens du combat*)

Extension du domaine de la lutte a fait connaître Michel Houellebecq. *Extension* est beaucoup plus qu'un roman d'entreprise : *Extension* est la complainte du libéralisme. Elle grince, elle est fausse, comme la langue des managers et des dirigeants qui voudraient développer une « culture d'entreprise ».

L'entreprise est un écosystème. En lui niche un personnage essentiel, le cadre. L'entreprise où travaille le héros d'*Extension*, informaticien, a donc développé une culture d'entreprise. Ce n'est pas exactement un oxymore, mais une expression assez déroutante et un peu vulgaire, déplaisante, malpropre presque, un peu comme « culture pub ». Frédéric Beigbeder, l'un des personnages fugitifs de *La Carte et le territoire*, « passé » de la com' à la littérature, ricane : la pub n'est qu'une technique destinée « à faire acheter à ceux qui n'en ont pas les moyens ce dont ils n'ont pas besoin ». Elle est « l'écœurante publicité », répétitive, inévitable et bariolée, tout aussi écœurante que la gestion des ressources humaines, avec le sapin de Noël, les vœux des dirigeants et les primes, et tout ce *management* qui voudrait se draper dans cette fameuse *culture* de boîte.

Adhérer à la culture de sa boîte est, pour tout être sain – ou malsain d'ailleurs –, assez déprimant. Les cadres adhèrent. Regardons leurs trognes faussement réjouies au-dessus de chemises rayées à col blanc lors des pots de départ ou des anniversaires…

L'entreprise est le royaume de l'asservi volontaire. Le cadre n'a pas le pouvoir. Il est condamné à servir son maître pour maintenir un niveau de salaire destiné à satisfaire son unique moteur, la consommation.

> « Des cadres consommaient. C'est leur fonction unique[1]. »

Chien fidèle, il est régulièrement humilié et mis en concurrence avec les autres cadres. Il souffre de cette rivalité mimétique. Toujours

1. *La Poursuite du bonheur, op. cit.*

sur le qui-vive et à se mesurer avec ses congénères, les espionner, tenter de leur damer le pion. Observant la lutte des cadres, on songe à ces bocaux remplis d'escargots qui ne cessent de grimper les uns sur les autres. Les cadres sont dans la besogne et le besoin (étymologie identique).

Ah, le *besoin* ! L'un des mots-clefs de l'économie !

Les besoins sont infinis, les ressources sont rares... D'où les prix, etc. « Cependant, les rouages du besoin se remettent à tourner[1]. » Le cadre besogne pour ne jamais satisfaire ses besoins. Il peut gagner beaucoup d'argent, mais n'éteint jamais sa soif de pacotilles, et surtout ne dirige jamais rien, ni lui ni autrui.

Dans *La Carte et le territoire*, le tableau représentant la conférence de rédaction animée par Jean-Pierre Pernaut montre sur le visage des cadres de la rédaction une sorte de « haine servile », tempérée d'un peu d'admiration. On ne peut pas ne pas jalouser sinon admirer ce chef qui vous fait souffrir... Mais à son propre niveau, Jean-Pierre Pernaut est un cadre. Et Patrick Le Lay lui-même, ivre et bouffon, autre personnage fugace du roman, n'est qu'un super-cadre

1. *Le Sens du combat, op. cit.*

soumis aux vrais chefs de l'entreprise, qui viennent de racheter la chaîne dont il croyait être le maître, et qui sortent de cette soirée avinée avec la suffisance des vrais patrons, et le toisent.

Quand vous entrez dans l'entreprise, vous entrez dans le domaine de la lutte, d'où vous ne sortirez jamais. C'est un passage initiatique. Vous n'êtes plus un enfant. Ou peut-être êtes-vous, dit le poète, « comme un enfant qui n'a plus le droit aux larmes[1] ». La main de fer du marché poigne votre petite main, à jamais. Désormais, il va falloir vous battre pour survivre, proie ou requin au milieu des requins.

Cette bataille, cette concurrence qui vous fait courir tous ensemble[2], pauvres moutons, relève d'une version simple de la loi de la jungle, où les forts mangent les faibles pour le plus grand bien de l'amélioration des espèces. Ce darwinisme social, ce libéralisme à la Spencer (qui faisait une lecture à contresens complet de Darwin, lequel insistait sur les facultés coopératives de l'espèce humaine, à l'origine de la domination de celle-ci sur les autres espèces)

1. *La Poursuite du bonheur*, *op. cit.*
2. *Cum currere*, « courir ensemble ».

veut que les bons salariés triomphent des mauvais, comme les bonnes entreprises mangent les mauvaises.

Au terme de ce banquet cannibale, au terme de la concurrence, on aboutit à un *équilibre*.

Un théoricien de l'équilibre fut le Français Léon Walras[1]. L'équilibre est un état mythique, atemporel, où toutes les offres équilibrent toutes les demandes, et où tout le monde, entreprise et consommateurs, est satisfait – ce qui n'arrive précisément jamais. Car le principe de vie du capitalisme est, au contraire, l'insatisfaction à perpétuité.

À la limite, l'équilibre de Walras pourrait ressembler à celui de Darwin pour les espèces animales : un équilibre pérenne, naturel, ne se modifiant guère dans les siècles, voire les millénaires[2]. L'équilibre des humains et des entreprises employant des humains est extrêmement précaire, toujours provisoire, constamment remis en cause par les chefs.

1. Léon Walras (1834-1910).

2. Ce qui est un peu l'équilibre, ou la « fin de l'histoire » de Malthus : une masse de pauvres, survivant à peine, et coexistant avec une infime minorité de riches.

Les cadres (ne parlons pas des prolétaires, qui ne comptent pas et n'ont guère de place – ils sont brutaux et détestables[1]) sont donc constamment sur le fil du rasoir, et leur souffrance est immense. À France Télécom, certains se donnent la mort, tandis que leur patron, rigolard, parle d'une « mode des suicides ».

Évoquant la « destruction créatrice », Houellebecq cite évidemment l'inventeur de cette notion : Joseph Schumpeter[2].

Sans cesse, le marché broie et brasse – les hommes, l'argent, les marchandises. Schumpeter estimait que le capitalisme finirait par s'épuiser à ce jeu de la destruction créatrice, pour s'amollir dans une social-démocratie triste ; Houellebecq pense plutôt que l'aboutissement sera l'Apocalypse, rejoignant en cela Malthus.

La destruction créatrice fait régner la terreur sur les cadres et sur les salariés en général.

Elle agit sur leur travail (remise en cause permanente des fonctions, doute sournois et

1. Ainsi, les camionneurs qui jalousent Daniel 1 dans *La Possibilité d'une île*, et qui tuent le seul être qu'il aime, son chien.

2. Également théoricien de l'entreprise, de l'esprit d'entreprise, et de l'innovation, théoricien des cycles économiques d'expansion et de récession.

perpétuel sur l'utilité des labeurs, mise en concurrence des subalternes) et sur leur consommation, eux qui n'ont d'autres finalités que de consommer. L'obsolescence programmée des marchandises – leur mise au rebut perpétuelle et accélérée, qui fait l'objet d'une magnifique scène dans *La Carte et le territoire*[1] – est un moyen de perpétuer l'incertitude dans laquelle baignent ces pauvres gens. La société leur accorde un léger surplus par rapport à la stricte satisfaction de leurs besoins alimentaires : ils peuvent donc « essayer de vivre ». Essayer de vivre…

C'est tout le concept de « minimum vital social » élaboré par Malthus et repris à peu près intégralement par Marx dans sa théorie de la plus-value. On doit donner au salarié un peu plus que ce qui lui permet de vivre, afin qu'il puisse se perpétuer et fabriquer de nouveaux petits salariés. Étymologiquement, le prolétaire est celui qui n'a de richesse que sa progéniture. Une large progéniture est à même de constituer une vaste armée de réserve de laborieux, capable de faire pression sur les

1. Voir chapitre III.

salaires. Un volant raisonnable de chômage n'est pas mal non plus.

Le kilo de pain était l'élément de base du minimum vital du salarié au temps des maîtres de forges. Sans doute le Smartphone et l'abonnement Internet, plus le litre de gazole, ont remplacé le kilo de pain. Mais le concept reste le même : sans son ordinateur utilisé en continu, le cadre ne peut survivre. La notion de minimum vital social veut dire que l'on vous maintient la tête hors de l'eau, à peine, le temps de consommer les choses que vous avez produites, et que, hors de ce temps de consommation, vous ne pouvez vivre.

Une telle vie serait inadmissible s'il n'y avait le leurre de la nouveauté. C'est pourquoi il faut innover. L'entrepreneur, écrivait Schumpeter, est l'homme capable d'innovation.

Ne nous y trompons pas : en fait d'innovation, il s'agit le plus souvent de démoder aux yeux du public des objets auxquels il aurait le tort de s'habituer, et auprès desquels il acquerrait une certaine sécurité. En même temps, les innovations trop importantes menacent les rentes des grosses entreprises, qui les récupèrent pour les exploiter et étouffer leurs promoteurs. Il n'y a que les économistes pour croire à la

« vraie » concurrence, à la concurrence « libre et non faussée » : dans *La Carte et le territoire*, Houellebecq évoque le cynisme affiché par Bill Gates dans son ouvrage *La Route du futur*[1], lorsque le patron de Microsoft avoue ne pas avoir inventé grand-chose, mais seulement avoir su récupérer ce que de petites entreprises innovantes ont créé en essuyant les plâtres, lui-même se contentant d'arriver en second rideau avec la production de masse, dont les faibles coûts permettaient de tuer les inventeurs.

Mais la destruction créatrice, l'essence du capitalisme, cache sous sa pseudo-nouveauté et son clinquant quelque chose de beaucoup plus terrible : elle cache la terreur que le changement perpétuel fait vivre aux subalternes, en même temps que le contrôle de fer qu'il leur impose. La destruction créatrice, c'est le fouet et la peur.

Dans les années 2000, le patronat français[2] avait tenté de vendre une philosophie du risque et une distinction entre *riscophiles* et *riscophobes*. « Le risque est notre matière première », disait

1. Bill Gates, *La Route du futur*, Robert Laffont, 1995 ; Pocket, 1997.

2. Par la bouche du président et du vice-président du Medef, Antoine Seillière et Denis Kessler.

Denis Kessler. Il y a comme une extension du domaine de l'incertain, ajoutait-il, sauf que celui-ci n'est plus lié à la nature (Dieu, le destin), mais au comportement même des hommes.

Qui dit risque, dit morale patronale du risque. Le risque devient comme le noyau de la conscience sociale et politique contemporaine. Il est, soulignait encore l'assureur Kessler, l'occasion d'une « renaissance, d'une nouvelle chance qui sortirait la philosophie politique de sa dégénérescence mortelle ». Or, dans la société, il y a ceux qui prennent des risques, et ceux qui n'en prennent pas.

Notre culture célèbre les aventuriers, les chasseurs, les pionniers, les inventeurs, etc., plus que les fonctionnaires. Et parmi les aventuriers, chasseurs, inventeurs... les entrepreneurs. En France, l'humeur de cinq mille entrepreneurs fait l'économie du pays. En face, « les salariés sont attachés à leur travail comme arapèdes à leur rocher », disait le duc de Brissac, ex-patron de Schneider.

C'est vrai. Il y a un côté serf attaché à sa glèbe chez le salarié, par force ou par peur. Les maîtres sont des riscophiles, les esclaves des riscophobes.

Les personnages de Houellebecq vivent cette intériorisation de la peur. Le héros d'*Extension du domaine de la lutte* sue de peur. Bruno, le héros des *Particules élémentaires*, a intériorisé la terreur et les maltraitances subies quand il était pensionnaire. De jeunes mâles plus forts l'ont humilié, battu, compissé. Il a été formé à la société capitaliste. Tous les personnages positifs des romans sont des poètes dans une société de brutes. Or le marché (la compétition, l'entreprise) maintient les doux – et la plupart des autres, d'ailleurs – dans une terreur largement liée à l'incertitude qu'il fait régner : incertitude sur le travail (risque de chômage), et sur la récompense du travail, la consommation (obsolescence des objets que nous retrouverons plus loin).

Aucun romancier n'avait, jusqu'à lui, aussi bien perçu l'essence du capitalisme, fondé sur l'incertitude et l'angoisse.

L'incertitude et l'angoisse furent les meilleurs barreaux des camps. Bruno Bettelheim[1], survivant de Dachau puis de Buchenwald, se pose la question : comment, avec si peu de moyens, les gardiens parvenaient-ils à maintenir l'ordre dans ces lieux surpeuplés ? Pourquoi, lors des déplacements, alors qu'une infime minorité de

1. Bruno Bettelheim, *Le Cœur conscient*, Robert Laffont, 1972 ; Le Livre de Poche, 1977 ; Pluriel, 1985.

gardes encadraient des masses, n'y avait-il pas de révoltes ?

Et la réponse de Bettelheim est lumineuse, elle est la même que celle de Houellebecq pour la société de l'argent : les gardes n'avaient de cesse d'infantiliser les hommes en les maintenant perpétuellement dans l'incertain, l'improbable, le risque, l'indéterminé. Ils brisaient tout lien de causalité autorisant l'action. Comme des enfants, les prisonniers vivaient dans le présent immédiat. Tantôt une action était récompensée, tantôt la même action était punie. Observer et réagir, pour un prisonnier, devenait impossible et, dès lors, l'instinct de conservation était impitoyablement brisé. Ne savoir que ce que ceux qui commandent vous autorisent à savoir est la condition du petit enfant, ou de l'esclave.

De même dans l'usine, la contingence détruit la personnalité des individus. Dans l'affreuse société du camp ne survivent que ceux qui parviennent à ne pas être *mécanisés* et à garder un peu d'émotion. Dans l'affreuse société où s'agitent les héros de Michel Houellebecq ne doivent survivre que les doux, les poètes, les rêveurs, les faibles, et particulièrement les femmes, infiniment plus altruistes et douces que les hommes, avec tous ceux qui ne réagissent pas *mécaniquement* aux stimuli de l'argent – bref, les *anti-homo-œconomicus*. Les autres, les « asservis volontaires », ceux qui « y croient » ou font mine d'y croire, tentent de reconquérir de l'espace, ou de la force, en s'identifiant à ceux qui les tyrannisent. Ils luttent pour de l'espace ou du temps[1].

Les cadres sont pitoyables comme des enfants, comme eux se révèlent de vicieuses petites charognes, capricieuses, quémandeuses, hurlantes, et Houellebecq nous rappelle le caractère infantile de la société de marché, fondée sur l'insatiabilité.

Infantile est le désir incessant et à jamais insatisfait des consommateurs. Jamais nous ne serons rassasiés d'argent. Infantile est leur manière de se comporter, lorsqu'ils passent du côté des salariés, devant leurs chefs. Infantiles leurs errances dans les supermarchés, leur précipitation au moment des soldes, leur façon de pianoter sur leurs jouets.

L'inassouvissement du désir, son retour perpétuel malgré les achats, malgré l'empilement des biens, l'incapacité à être satisfait et cette façon

1. « Les êtres humains luttaient pour des morceaux de temps. » (*Renaissance*, Flammarion, 1999 ; recueil repris in *Poésies*, *op. cit.* et *Poésie*, *op. cit.*)

puérile de quémander, encore et encore des objets, est l'essence du capitalisme. Un grand économiste l'avait découvert : non pas Marx, qui n'a jamais envisagé la notion de désir ou de besoin en économie, mais John Maynard Keynes[1].

1. Voir Gilles Dostaler et Bernard Maris, *Capitalisme et pulsion de mort*, Albin Michel, 2009 ; Pluriel, 2010.

Chapitre 3

L'INFANTILISME DES CONSOMMATEURS ou John Maynard Keynes

« Les joies de la consommation, par lesquelles notre époque se montre si supérieure à celles qui l'ont précédée. »

(*La Possibilité d'une île*)

« Ils mangent, ils mangent… […] Qu'est-ce que tu veux qu'ils fassent d'autre ? »

(*Plateforme*)

C'est donc l'éternelle modification du même qui est le fondement de l'activité entrepreneuriale : changer de gamme, de modèle, d'aspect, modifier à la marge, maintenir le consommateur dans le trouble du changement tout en lui fournissant à peu près la même chose. Maintenir les consommateurs dans la perpétuité du désir. Que peuvent-ils faire d'autre, sinon envier et se goinfrer, comme des enfants ? Une « génération de *kids* définitifs[1] ».

Cet aspect infantile, puéril du capitalisme et de la société de consommation (l'impossibilité de s'arrêter, d'être saturé, de ne pas en demander plus) n'a jamais été relevé par les économistes, sauf par le plus grand : John Maynard Keynes.

---

1. *La Possibilité d'une île*, *op. cit.*

Qu'est-ce que l'épargne, l'avarice, l'accumulation de ce qui n'est pas transformé, l'argent, sinon un refus éperdu du vieillissement et de la mort ? De quoi a peur le vieillard Harpagon, serrant sa cassette, sinon de perdre quelques grains de temps que viendrait lui dérober la mort ? Et pourquoi les hommes s'agitent-ils, sinon pour ne pas voir ce qui les attend, la maladie et la mort ? L'accumulation d'argent se nourrit de cette agitation qui, en économie, a pour nom *productivisme*.

La Possibilité d'une île (et dans une moindre mesure *Plateforme*) est le roman de cette lutte, de cette recherche d'éternité, dont le productivisme est l'expression. Car que signifie la recherche à l'infini des gains de productivité, sinon la lutte contre le temps, l'espoir d'écarter les pinces de sa tenaille ? Et la consommation perpétuelle n'est-elle pas la forme suprême du divertissement pascalien ? Oublier que le temps passe et que la mort approche, en mangeant, en changeant d'objet ?

Cette génération de kids définitifs consomme les objets appropriés : des jouets. Des tablettes, des consoles, des Smartphone. Le monde moderne est un monde de jouets.

Un haut lieu de la consommation moderne fascine notre auteur : le supermarché.

« Rien, dans aucune autre civilisation, à aucune autre époque, ne pouvait se comparer à la perfection mobile d'un centre commercial contemporain fonctionnant à plein régime[1]. » Jed, le héros de *La Carte et le territoire*, adore s'y promener. Il regrette de ne pas avoir entamé une véritable amitié avec Michel Houellebecq (pour cause : celui-ci vient d'être assassiné), qui se serait matérialisée dans les visites au supermarché. Les deux amis eussent déambulé dans les rayons, contemplé les têtes de gondole, les nouvelles mises en place, les ruses pour attirer le chaland, l'empilement infini des objets. « L'offre en pâtes fraîches italiennes s'était encore étoffée, rien décidément ne semblait pouvoir stopper la progression des pâtes fraîches italiennes[2]. » Que d'humour dans ce « décidément »... Et toujours dans le roman : « Il avait, quelquefois, l'hypermarché pour lui tout seul – ce qui lui paraissait être une assez bonne approximation du bonheur[3]. »

1. *Ibid.*
2. *La Carte et le territoire*, *op. cit.*
3. *Ibid.*

Le monde comme supermarché et comme dérision : la logique du supermarché est celle de la déambulation énamourée devant l'abondance, mais aussi de l'explosion et de l'éparpillement du désir, un désir « criard et piaillant ». Poussins apeurés, les consommateurs sont poussés et rudoyés par les publicitaires entre les rayons. Les rayons deviennent ces couloirs des corrals dans lesquels on pousse les bêtes qui vont être abattues mais auparavant marquées.

Qui marque ? Les marques, la pub.

Car la pub est violente. Les publicités des marques sont les acouphènes d'un monde violent qui n'est jamais muet. La pub vise à susciter, à provoquer, à être le désir. Elle met en place un surmoi terrifiant et dur, beaucoup plus impitoyable qu'aucune loi ou coutume ayant jamais existé, qui colle à la peau et répète sans cesse : « Tu dois désirer. Tu dois être désirable. Tu dois participer à la lutte, à la compétition, à la vie du monde. Si tu t'arrêtes, tu n'existes plus. » La pub est l'aiguillon qui pousse les bœufs ou les moutons, les oblige à bouger. Elle clignote et change sans cesse. Elle est la perpétuité du provisoire, la négation de toute éternité, la destruction créatrice permanente, le renouvellement impitoyable et saccadé. D'une cruauté inimaginable, elle transforme l'être en fantôme obéissant, sans lieu, sans lien, dans la vanité et la superficialité absolues.

La pub est un impératif catégorique autrement puissant que l'impératif kantien fondé sur la libre volonté et la raison pratique. Tyrannique, surfant sur l'émotion, elle exige. Elle torture. Elle soumet. Elle est la morale qui succède au christianisme – et dont le christianisme, à travers saint Paul, a sans doute préparé le terrain, en isolant l'homme face à son Dieu. Mais le christianisme s'efforçait de préserver quelques moments « collectifs », dans le couple, la famille. Le christianisme permettait de « refuser l'idéologie libérale au nom de l'encyclique de Léon XIII sur la mission sociale de l'Évangile[1] ». Le marché, lui, se charge de les abolir et de les pulvériser, en abolissant tout lien autre que monétaire.

La typologie des acheteurs est assez simple : il y a le *dévot*, qui fait une confiance absolue au vendeur, totalement dépassé par le produit, le *technicien*, appliqué à voir la qualité ou la

1. « Dernier rempart contre le libéralisme », in *Le Sens du combat*, *op. cit.*

nouveauté du produit, et enfin le *nouveau consommateur* – le plus sot –, qui ne consomme pas pour paraître mais pour « être », qui veut de l'authentique, du durable, voire de l'éthique et du solidaire.

Le touriste est typiquement un nouveau consommateur, parfaitement manipulé par des salauds comme les auteurs du *Guide du Routard* : ne l'excitent que les lieux ou les biens non touristiques, consommés bien entendu par tous les touristes comme lui.

À tous ces demandeurs, Valérie et Michel, les héros de *Plateforme*, vont proposer un nouveau modèle de club de vacances érotique. Sachant que le tourisme de masse devient la première marchandise importée ou exportée dans le monde, il importe de se *positionner* sur de nouveaux créneaux. Et parmi les nouveaux créneaux : le sexe, pour lequel, selon la vieille loi de l'offre et de la demande, les pauvres fourniront la chair, et les riches l'argent.

La consommation de masse du sexe, corrélative de la libération sexuelle et de l'accès à la consommation par les classes moyennes aux biens de demi-luxe (des campings érotiques du sud de la France aux palaces *cheap* de Thaïlande ou de Malaisie), a été permise par la hausse du pouvoir d'achat. À celle-ci, Houellebecq associe le moment heureux des Trente Glorieuses, mais aussi le système redistributif de l'État-providence, qui permet de « stabiliser la demande de masse » et d'entretenir un certain nombre de parasites, « d'inutiles, d'incompétents et de nuisibles[1] », dont lui-même qui, dans *Plateforme*, travaille vaguement au ministère de la Culture à la promotion de spectacles modernes autant que débiles.

Pourquoi cette redistribution ? Pourquoi la social-démocratie ? Pour laisser souffler les producteurs-consommateurs.

La culture – typiquement l'activité stérile tolérée par le capitalisme, parce qu'elle relève, avec l'*entertainment*, de la consommation de masse – a un rôle important, salvateur, presque : elle évite la suffocation. La suffocation dans le travail et la consommation. Comme le supplice de la baignoire, elle permet de temps à autre de sortir la tête hors du bouillon libéral et de respirer un peu. Dans le monde inversé du spectacle, le *travail* de tous les parasites (les gens de la com', par exemple) se présente

1. *Plateforme*, *op. cit.*

comme *utile*, alors qu'il est parfaitement parasitaire.

Valérie, l'héroïne de *Plateforme*, brillante cadre sup de la com', le sait. Elle est prise dans une spirale infernale, dont risque de la faire sortir… l'amour, évidemment. La chaîne terrible du marché se brise, une fois encore, dans ce roman, au maillon de l'amour. Prendra-t-elle le risque d'aimer ? Elle avoue à Michel qu'elle ne peut pas ne pas demander une augmentation de salaire correspondant à l'accroissement de son travail et de ses responsabilités : « Je suis prise dans un système qui ne m'apporte plus grand-chose, et que je sais au demeurant inutile ; mais je ne vois pas comment y échapper. Il faudrait, une fois, qu'on prenne le temps de réfléchir ; mais je ne sais pas quand on pourra prendre le temps de réfléchir[1]. »

Réfléchir, cela voudrait dire assumer son amour pour Michel, vivre avec lui… Elle n'osera pas. Trop tard. Elle est contaminée. Elle est « cadre ».

Peut-on desserrer l'étau du travail et de la consommation ?

1. *Ibid.*

Robert, le beauf de *Plateforme*, agrégé de maths retraité, court les fillettes de paradis érotique en paradis érotique, consomme, et consomme, et consomme encore du sexe tarifé. Il est cynique, il croit avoir « compris », alors que ce qu'il fait est sinistre et vain, aussi vain que d'ingérer des pizzas à en crever, et n'est que le cheminement méprisable et hagard d'un vaincu vers la mort.

Robert consomme du sexe, et ne rencontre jamais l'amour d'une femme, la chose la plus merveilleuse qui puisse exister pour un homme, comparable à la révélation de la foi : « À quoi comparer Dieu ? D'abord, évidemment, à la chatte des femmes[1]. » Cette comparaison, sincère, réapparaît fréquemment chez Houellebecq. Existe-t-il plus mystérieux, infini et éternel que le sexe d'une femme ? Ce mystère ne s'achète pas ; il ne peut être approché qu'au prix de l'amour.

Hélas, ou par bonheur plutôt, on ne consomme pas de l'amour. L'amour très innocent, très pur des héros houellebecquiens est une plénitude, un achèvement. Lui seul permet d'oublier la consommation, seul horizon possible proposé par notre atroce société, et qui peut devenir une torture.

1. *Ibid.*

Dans *La Carte et le territoire*, Houellebecq, auquel rend visite le portraitiste Jed Martin, fond en larmes à l'évocation de « trois produits parfaits ». Ces trois produits sont : « les chaussures Paraboot Marche, le combiné ordinateur portable-imprimante Canon Libris et la parka Camel Legend[1] ». Voilà que l'obsolescence décidée par les gens du marketing interdit à Houellebecq de racheter à intervalles réguliers, comme il le faisait, ces trois objets !

« Alors que les espèces animales les plus insignifiantes mettent des milliers, parfois des millions d'années à disparaître, les produits manufacturés sont rayés de la surface du globe en quelques jours[2]. » Et tout ça en raison du « diktat irresponsable et fasciste des responsables des lignes de produits » ! Ces gens « prétendent capter une *attente de nouveauté* chez le consommateur, et ne font en réalité que transformer sa vie en une quête épuisante et désespérée, une errance sans fin entre des linéaires éternellement modifiés[3] ».

Ce monde est épuisant et désespérant. Au cœur du capitalisme et de la société de marché

1. *Ibid.*
2. *Ibid.*
3. *Ibid.*

il est interdit de se poser, reposer, de rester au même endroit, de se contenter de ce que l'on a, de s'habituer aux objets, aux marques, à son propre travail. C'est encore la destruction créatrice de Schumpeter, mais envisagée sous l'angle de la consommation. Elle est un grand motif de tristesse, et un moyen de coercition encore féroce. En maintenant perpétuellement les hommes dans l'incertitude, en les obligeant à bouger, à changer leurs habitudes, elle les brise.

La technique de domination propre aux camps de concentration est revue ici sous l'angle du supplice de Tantale : ce que tu as, tu ne l'as plus, et ce que tu auras, tu le perdras. Tu dois tendre les mains vers autre chose qui s'éloignera au fur et à mesure que tes mains approchent.

La mobilité, le bougisme, la révolution commerciale systématisée, de plus en plus rapide – les soldes, les remises, les rabais, l'excitation au changement – sont une façon de maintenir dans l'effroi. Il existe un *terrorisme de l'obsolescence*. Oui, les larmes de Houellebecq sont sincères lorsqu'il évoque les objets auxquels il était habitué et qu'on lui interdit désormais de posséder. Comme si l'on interdisait à un enfant de câliner sa poupée.

Certes, la consommation a aussi de bons côtés : dans *La Possibilité d'une île* ou *La Carte et le territoire*, les grosses berlines allemandes silencieuses font l'objet d'une certaine vénération. La technique inspire le respect. Leur confort n'est pas à dédaigner, d'autant plus qu'il éloigne de ce qui est effrayant – la nature, celle des forêts et de la mer.

Mais qu'est-ce que la nature ? Dans un monde totalement colonisé par l'homme, le supermarché n'est-il pas devenu le gîte naturel de l'espèce ?

Chapitre 4

L'UTILE ET L'INUTILE
Marx et Fourier

« Les productions technologiques de l'homme, par contre, pouvaient encore inspirer le respect. »

(*La Possibilité d'une île*)

« Le piège s'était refermé ; elle était désormais dans le monde du travail. »

(*Plateforme*)

La Carte et le territoire s'ouvre sur un problème de plomberie. Un plombier sauve du froid Jed Martin le peintre, le héros. La plomberie, « artisanat noble », est particulièrement utile. Ce plombier envisage de devenir loueur de scooters des mers, métier ignoble destiné à « des petits péteux bourrés de fric ». Jed est déçu. Et c'est là qu'il met en pièces le tableau *Damien Hirst et Jeff Koons se partageant le marché de l'art*. Ces deux-là sont des artistes représentatifs de la société de consommation, comme Andy Warhol.

Pourquoi Jed déchire-t-il son œuvre ? Parce qu'il y a comme un non-sens, un oxymore ou, pire, comme un scandale dans cette expression – le « marché de l'art » –, comme un scandale dans l'expression le « marché du travail ». L'art peut être relié à tout : aux zones d'ombres, aux zones lumineuses, aux zones intermédiaires. L'art est ce que l'on ne peut pas représenter. Jed Martin peut représenter tous les métiers et tous les travailleurs, sauf un prêtre, et un artiste. Il tournera cette impossibilité en faisant un portrait d'écrivain (Michel Houellebecq, en l'occurrence).

« Toute sa vie Jed avait eu envie d'être utile[1]. » Il exerce un métier parfaitement inutile – artiste peintre, autrement dit producteur de beauté et de poésie. « Tout ce qui est utile est laid », dit brièvement Théophile Gautier. Et Jed – comme son créateur Michel Houellebecq – travaille dans la beauté. Il peint ceux qui travaillent. Il aime les métiers, particulièrement ceux qui sont appelés à disparaître – boucher, gérant de bar.

Dans sa jeunesse, il photographie des objets, très concrets, « techniques », pinces, écrous, les objets ménagers, machines à coudre, étaux… Sa production est une sorte de catalogue de la manufacture de Saint-Étienne. Il aime l'outil. Il « n'aurait jamais envisagé de photographier, par exemple… un saucisson[2] ». On sent qu'il

1. *La Carte et le territoire*, *op. cit.*
2. *Ibid.*

photographie de l'utilité, de la technique, du savoir d'artisan, de l'histoire manuelle sédimentée au long de la vie de l'homme, ce « mammifère ingénieux ».

Artisan, artiste... Les commerciaux ne sont pas utiles. Ils ne font pas les objets. Ils les vendent, et les décrètent « dépassés », de façon unilatérale, tyrannique et anonyme, comme de petits dictateurs. De petits dictateurs incapables, évidemment, de démonter un moteur.

Quelles sont les personnes capables de fabriquer des objets ? Les ouvriers bien sûr, mais aussi les techniciens et les ingénieurs : ils représentent cinq pour cent de la population active, guère plus. Les autres – commerciaux, publicitaires, stylistes, cadres administratifs privés ou publics – sont simplement des « parasites ».

Dans sa célèbre parabole[1], Saint-Simon décrit nommément les producteurs et les parasites.

1. « Admettons que la France conserve tous les hommes de génie qu'elle possède dans les sciences, dans les beaux-arts et dans les arts et métiers, mais qu'elle ait le malheur de perdre, le même jour, Monsieur, frère du roi, monseigneur le duc d'Angoulême, monseigneur le duc de Berry, monseigneur le duc d'Orléans, monseigneur le duc de Bourbon, madame la duchesse d'Angoulême, madame la duchesse de Berry, madame la duchesse

Michel Houellebecq fait de même. Les savants ont sa préférence. Les ouvriers, les techniciens ont son respect, les communicants son mépris, qu'il offre aussi généreusement aux publicitaires, journalistes, et aux autres « métiers » de l'ère de l'information et de l'amusement. Daniel, le héros de *La Possibilité d'une île*, exerce le métier d'amuseur, particulièrement abject. Dans *Plateforme*, Michel « travaille » dans la culture. Il organise des spectacles improbables pour des nigauds : « J'étais parfaitement adapté à l'âge de l'information, c'est-à-dire à rien[1]. »

L'utile et l'inutile sont au cœur de la pensée houellebecquienne.

La parabole de Saint-Simon rejoint la grande distinction du travail improductif et productif

---

d'Orléans, madame la duchesse de Bourbon, et mademoiselle de Condé. [...] Cet accident affligerait certainement les Français, parce qu'ils sont bons, parce qu'ils ne sauraient voir avec indifférence la disparition subite d'un aussi grand nombre de leurs compatriotes. Mais cette perte des trente mille individus réputés les plus importants de l'État ne leur causerait de chagrin que sous un rapport purement sentimental, car il n'en résulterait aucun mal politique pour l'État. » (*L'Organisateur*, 1819, *in* Claude Henri de Rouvroy, comte de Saint-Simon, *Œuvres*, 1841)

1. *Plateforme*, *op. cit.*

faite par Marx après Adam Smith (et Ricardo, Malthus, et tous les classiques anglais). Je m'enrichis quand j'embauche un ouvrier, écrit en substance Smith ; je m'appauvris quand j'embauche un domestique.

De là à dire que tous les métiers de l'ère de l'information relèvent de la domesticité, un pas qu'il faut franchir. Ce n'est pas parce que l'on *fait* de l'argent que l'on crée de la richesse. Les commerciaux, les gens de la com', les spéculateurs *font* l'argent, mais ne créent pas de richesse, de valeur, sinon fausse, comme celle qui s'accumule dans les bulles boursières ou immobilières.

Ne pas croire cependant que les « commerciaux », si bien payés, commandent. Non. Au commencement sont les ingénieurs et les techniciens. « Si c'est techniquement réalisable, ce sera techniquement réalisé », lit-on dans *Interventions*[1] – phrase extraordinaire qui contient tous les futurs « progrès » de l'humanité, dont le clonage. À l'origine se trouve l'outil, la technique (la première forme de culture selon Freud dans *Malaise dans la civilisation*[2]).

Comment ne pas songer à cette étonnante technique des informaticiens qui a révolutionné

1. *Interventions*, *op. cit.*
2. Sigmund Freud, *op. cit.*

le capitalisme, fait exploser la productivité du travail, et qui s'est magistralement imposée à toute notre vie ? Mais, plus que devant l'informaticien, c'est devant le manuel, ou l'ingénieur, les techniciens capables de transformer la matière, que s'extasie Houellebecq.

Dans la première partie de *Plateforme* (intitulée « Avantage concurrentiel »), Michel le héros s'arrête devant une architecture métallique extrêmement ingénieuse, et se demande pourquoi ces ouvriers, tellement utiles, qui ont construit cette plateforme métallique, sont vingt-cinq fois moins payés que les « communicantes » Babette et Léa, qui l'empruntent pour aller se dorer sur la plage non loin. « L'économie est un mystère », songe-t-il...

Est-ce sûr ?

Il est vrai que les publicitaires, les communi cants, les gens de relations humaines, de gestion, de conseil, en général parfaitement inutiles et incapables de visser le moindre boulon, sont largement payés, contrairement aux mécanos, métallos, technicos, etc. Mais le mystère n'est pas très grand. Le marché du travail n'est pas qu'un marché, une bourse où jouent l'offre et la demande. Il est aussi l'organisation d'un système de domination où les communicants, les publicitaires ou encore les DRH jouent le rôle de donneurs d'ordres. C'est par eux que circule l'obligation de produire et de consommer. Ils sont donc essentiels dans le rouage de la domination et de l'asservissement, et c'est en tant que dominants et maîtres, ou sous-traitants des dominants et des maîtres, qu'ils sont bien appointés, exactement comme les régisseurs étaient particulièrement bien rétribués dans les plantations utilisant des esclaves.

Babette et Léa se promènent donc, seins refaits et joues botoxées. Pendant ce temps, des gens travaillent, produisent des denrées utiles. Et Michel de se questionner sur sa propre utilité : qu'avait-il produit lui-même, pendant une quarantaine d'années d'existence ? Des gens comme lui, on aurait bien pu s'en passer. Son inutilité était tout de même moins flamboyante que celle de Babette et Léa. Écornifleur modeste, Michel ne s'était tout de même pas « éclaté » dans son job, ni n'avait éprouvé le besoin de le feindre. Babette et Léa s'éclataient dans le leur, en compagnie de leurs compères cadres supérieurs « super-bookés ».

Et voici que l'art vient tarauder notre héros, l'art qui sera le sujet de *La Carte et le territoire*.

Il cite *Le Vallon* d'Agatha Christie, les souffrances de la création, et l'impossibilité de se situer pour l'artiste. L'artiste n'est ni utile ni inutile ; il est vraiment ailleurs, hors champ, dans la beauté et l'anarchie, même s'il est artiste officiel appointé par un souverain. Il ne peut jamais être heureux de son travail, ni vraiment malheureux.

Est-il celui qui voit, qui est devant les hommes éblouis par la lumière entrant dans la caverne mythique de Platon, et observant parfaitement la réalité et non son ombre ? Ce filtre esthétique, un peu magique s'il a du talent, lui permet-il de toucher un instant le cœur des hommes et de les soustraire à l'illusion ?

Le parasite est dans le monde des illusions et de l'erreur. L'artiste, pour son malheur, est définitivement à part. Peut-être ne ressent-il même pas ce qu'il crée – la haine, l'amour, la représentation du monde.

Il est, disait Keynes, au sommet de la vie sociale. Les hommes d'affaires, les autres, sont ceux qui n'ont pas pu être artistes, n'ont pas pu vivre avec les artistes du groupe de ses amis de Bloomsbury – Virginia Woolf, Duncan Grant, Lytton Strachey. Comment échapper à la pénibilité du travail – et de la vie, tout simplement –, sinon en étant artiste ? Mais tout le monde n'a pas le courage de sortir des sentiers battus.

Alors ? Qu'est-ce qui peut inciter les êtres humains à accepter les travaux ennuyeux et pénibles ?

L'argent, évidemment. Uniquement le besoin d'argent. L'argent, ce narcotique qui permet d'oublier le présent et de miser sur le futur, d'espérer. L'argent qui n'est qu'une créance sur le futur, que l'on espère meilleur que le présent. L'argent, « un pont entre le présent et l'avenir[1] », et seule l'espérance (toujours fausse) qu'il donne permet aux hommes de supporter le labeur. Demain, grâce à l'argent, ce sera un petit peu mieux, ou formidable. L'argent est un petit paradis au jour le jour que l'on déplace au fur et à mesure que les jours déchantent vers des lendemains qui ne chantent jamais. Car la vie a beau être moche – autre grand thème houellebecquien –, elle finit par passer. La vie est dure, mais, rassurez-vous, elle est courte.

Allant vers cet *ersatz* – la culture –, les hommes vont un peu vers les artistes : « La

1. John Maynard Keynes, *Traité sur la monnaie*, 1930.

culture me paraissait une compensation nécessaire liée au malheur de nos vies[1]. »

Échapper au labeur : ainsi se définissent les parasites « dominants » de la société, patrons, hommes politiques, grands journalistes, amuseurs publics... Depuis l'aube de l'humanité jusqu'ici, on n'a jamais trouvé de meilleur moyen pour échapper au travail que de faire travailler les autres à sa place.

Ne peut-on avoir le goût du travail ? Si, cela existe, et c'est aberrant. Ainsi Jean-Yves, qui travaille parce qu'il a le goût du travail, chose tellement honorable et mystérieuse que Michel décide de le récompenser d'un séjour dans un club érotique. Jean-Yves sera blessé dans l'attentat qui clôt *Plateforme*, tandis que meurt Valérie, grosse bosseuse, qui commençait à se poser des questions sur le sens de sa vie – « Davantage d'argent pour quoi faire ? » Hé, hé... C'est la question qu'on entend dans les tombes des cimetières.

Trop tard pour Valérie, qui ne savait pas refuser les promotions et découvre qu'elle peut se contenter de ce qu'elle a, et surtout de l'amour de Michel. Elle va mourir. Un peu

1. *Plateforme*, *op. cit.*

comme ces retraités qui, soudain saisis par la vacuité de leur vie après des années de sueur, disparaissent brutalement. Valérie eût été embarrassée de définir le « commencer à vivre ». L'attentat la dispense de réfléchir à la vie hors du travail servile ou subi.

La Carte et le territoire pose, après *Plateforme* et de façon plus systématique, la question du travail et de l'art, comme toujours sur fond d'amour, d'argent et de morbidité du capitalisme.

L'un des personnages du roman est l'écrivain, mis à nu par lui-même et peint par le héros, Jed. Sacrée gageure, parce que Jed s'est engagé dans une typologie des métiers, et l'artiste ne relève pas vraiment de la notion de métier – mais justement, le peintre réussira à représenter le passage entre le travail et l'art, qui est le sujet du roman.

Dans une conversation avec lui, Michel Houellebecq personnage de son propre roman envisage une sorte de thriller spéculatif sur les radiateurs en fonte. Jed et Michel contemplent la source de l'inspiration, le radiateur, objet inanimé qui semble soudain avoir une âme. Jed, recopiant le monde des objets, témoigne du monde industriel. Ainsi, il réalise trois cents photos de quincaillerie, dont des pièces usinées au dixième de millimètre, sachant que les pièces de son appareil photo, elles, sont usinées au centième. D'autres pièces, dans la chirurgie dentaire par exemple, sont usinées à l'échelle du micron. Il rend ainsi hommage au travail des hommes, dont les premiers usinages furent les silex taillés échangés dans tous les lieux habités.

Jed se lance ensuite dans des photos de cartes Michelin, aussi précises que possible. C'est encore l'idée de recension et d'exhaustivité qui le conduit. On pense à cette fable contée par Borges dans *Histoire de l'infamie, histoire de l'éternité* : « En cet Empire, l'art de la cartographie fut poussé à une telle perfection que la carte d'une seule province occupait toute une ville, et la carte de l'Empire toute une province. Avec le temps, ces cartes démesurées cessèrent de donner satisfaction, et les collèges de cartographes levèrent une carte de l'Empire qui avait le format de l'Empire et qui coïncidait avec lui, point par point[1]. »

---

1. Jorge Luis Borges, *Histoire de l'infamie, histoire de l'éternité*, Le Rocher, 1958 ; UGE 10/18, 1964 ; C. Bourgois, 1985 ; Pocket, 1998.

L'utopie du prince géographe n'est-elle pas celle qui anime Jed ? Vouloir absolument dans ce monde qui se transforme donner une image éternelle de ce qui fut. Lutter contre le passage du temps.

Borges inventa exactement la même fable, mais à propos du temps, dans la nouvelle *Funès ou la mémoire*[1]. Funès met vingt-quatre heures à se remémorer, seconde par seconde, les événements de la veille. Comment briser le carcan du temps sinon par l'art, producteur d'éternité ?

Dans *La Carte et le territoire*, l'utopie de l'artiste rejoint celle de la modernité, obsédée de numérisation et de compilation, lorsqu'elle cherche à décrire exhaustivement l'existant. Google, Wikipédia, se sont lancés dans l'utopie du prince géographe ou dans celle de Funès : tout recenser, tout numériser, tout voir, tout savoir.

Les neurosciences appliquées à des fins commerciales à la psychologie de la demande relèvent aussi de l'utopie du prince géographe : tout voir dans toutes les régions du cerveau humain pour y lire et prédire définitivement les sentiments. En vain.

1. Jorge Luis Borges, « Funès ou la mémoire », in *Fictions*, Gallimard, 1951 ; Folio, 1974.

Seul le poète ou l'artiste nous permet d'accéder à la transcendance de la vérité. En ce sens, il peut être lui-même éternel, par son œuvre. Et l'homme Michel Houellebecq n'est pas indifférent à la question de l'éternité portée par une œuvre – il le confesse à Bernard-Henri Lévy dans *Ennemis publics*.

L'art pose encore une autre question, celle de la valeur, question éminemment philosophique que s'est appropriée l'économie.

La photo n'est pas un art. Un grand photographe fait à peine mieux qu'un Photomaton. C'est pourquoi Jed le photographe redevient peintre. Ce qu'il produit a-t-il de la valeur ? Le marché répond : ce qu'il fait a un prix, une valeur d'échange, fort élevée.

Mais est-ce de la valeur ? Par exemple, Picasso est un peintre sans valeur, un faiseur de croûtes hautement tarifé, pense Houellebecq. Il produit de la laideur. Ses tableaux sont pourtant hautement cotés. Les communicants non plus ne produisent aucune valeur, même s'ils sont bien payés ; tandis que les travailleurs produisent de la valeur, de la *valeur d'usage*, diraient Marx, Smith et Keynes. Jed doit témoigner pour le travail utile.

Se lançant dans une série de portraits de travailleurs en situation, il est à la recherche de la valeur de la vie. Au-delà des objets, ce sont les métiers, et au-delà des métiers, l'organisation du travail qu'il veut figer. La division du travail social. Degas représentait les *Repasseuses*, Caillebotte les *Raboteurs de parquet*, Rembrandt la *Leçon d'anatomie du docteur Tulp*, Jed représente Ferdinand Desroches, boucher chevalin, Claude Vorilhon[1], gérant de bar-tabac, Maya Dubois, assistante de télémaintenance, la conf' de rédac' de Jean-Pierre Pernaut, Steve Jobs et Bill Gates s'entretenant du futur de l'informatique, et même la *Travailleuse du sexe*, vieux et noble métier s'il en est. Il échoue néanmoins à représenter le prêtre. Parce que, comme l'artiste, il est insaisissable, et que l'un relève du mystère de la foi, l'autre du mystère de l'art.

Tous ces tableaux représentent l'existence des hommes, façonnée par le travail ou l'exploitation du travail. Le but est de montrer un fonctionnement social : « Les vingt-deux tableaux suivants, axés sur des confrontations et des rencontres, [...] visaient à donner une image,

1. Claude Vorilhon est aussi le vrai gourou de la secte des Élohim, qui inspire le gourou de *La Possibilité d'une île*.

relationnelle et dialectique, du fonctionnement de l'économie dans son ensemble[1]. » L'écrivain s'amuse avec l'adjectif *dialectique*, fort marxiste, mais il s'agit bien d'une sorte de recensement *social*, de témoignage pour le labeur humain.

Et puis vient le moment de représenter celui qui est hors territoire, hors la loi de l'économie, qui ne peut être cartographié comme les autres, un extraterrestre en quelque sorte : l'artiste.

Déjà, Jed avait lamentablement échoué dans sa tentative de représenter *Damien Hirst et Jeff Koons se partageant le marché de l'art* ; comme si l'art était une substance aveuglante, impossible à regarder. Jed est bien embarrassé. Tous ces métiers artisanaux et ces professions aboutissaient à l'art, confluaient vers ce qui ne peut être représenté. Mais, « désireux de donner une vision exhaustive du secteur productif de la société de son temps, Jed Martin devait nécessairement, à un moment ou à un autre de sa carrière, représenter un artiste[2] ».

Il choisit alors d'abandonner le tableau des situations, et de faire un simple portrait d'écrivain. Peut-être aurait-il pu faire un autoportrait, mais il n'est pas convaincu lui-même d'être un

1. *La Carte et le territoire*, *op. cit.*
2. *Ibid.*

artiste. Houellebecq fera l'affaire. Mais une fois représenté, le modèle est assassiné de façon particulièrement ignoble et précise (lacéré et méticuleusement émietté), comme si, à la manière des rites amérindiens, le sacrifié ne devait pas survivre rituellement à son provisoire prestige de dieu vivant.

Pendant ce temps (si l'on peut dire), « le libéralisme redessinait la géographie du monde en fonction des attentes de la clientèle[1] ». Entendons : il détruit tous les vieux métiers et tous les paysages. Il les remplace par du carton-pâte habité par des santons animés destinés à satisfaire les Chinois millionnaires. Ainsi se termine le roman : comme au cirque et au zoo, des riches touristes viennent voir les Français typiques, puis la végétation recouvre les friches industrielles, temples éphémères de la grandeur de l'Europe capitaliste.

Le travail de Jed est donc essentiel : de même que l'artiste de la grotte Chauvet nous laisse la mémoire amère des rhinocéros laineux, Jed Martin, pour les siècles des siècles, laissera à l'humanité *Claude Vorilhon, gérant de bar-tabac*, longtemps après que les bars et le tabac auront disparu.

1. *Ibid.*

Qu'est-ce qui finalement définit un homme ? Son travail.

L'homme coupe sa vie en deux parties qui n'ont aucune communication entre elles, qui n'interagissent absolument pas l'une sur l'autre – le travail, le loisir (plus exactement le non-travail, car souvent, accablé, il ne fait qu'y reconstituer sa force de travail, selon la bonne vieille thèse marxiste).

Certains travaux ne sont pas sympathiques. Le tableau *Le Journaliste Jean-Pierre Pernaut animant une conférence de rédaction* reflète le dégoût que l'on éprouve vis-à-vis du monde de la communication qui nous entoure. Houellebecq n'a guère d'estime pour les journalistes, surtout les journalistes d'art et de littérature, mais il les place un peu au-dessus des amuseurs publics, qui sont sans doute ce qu'il y a de plus bas dans notre société : des cyniques qui font commerce de leur cynisme.

Les architectes non plus n'ont guère les faveurs de notre auteur, ces fabricants d'espaces concentrationnaires. Ainsi Le Corbusier qui, « comme les marxistes, comme les libéraux, [...] était un productiviste[1] ». Cet individu « totalitaire

1. *Ibid.* On appréciera l'identification des marxistes et des libéraux.

et brutal, animé d'un goût intense pour la laideur[1] », a beaucoup fait pour enlaidir l'espace public « au nom de l'*efficacité* chère aux productivistes ». La responsabilité des architectes dans l'enlaidissement du monde et l'abrutissement des masses est stupéfiante. Promenez-vous dans le Mirail de Toulouse, conçu par un imbécile du nom de Candilis, qui a fabriqué *ex nihilo* une zone sauvage et de non-droit, et observez la gare d'Orsay à Paris, architecture « utilitaire » puisque destinée à des trains... Vous comprendrez toute l'horreur architecturale conçue par les créateurs des années cinquante. Ces gens ont délibérément souillé l'espace vital des humains.

Le père de Jed Martin est justement un architecte qui a échoué, même s'il appartient à cette génération qui a lu Fourier, s'est intéressé au familistère de Godin[2] et a prétendu faire le bonheur des hommes malgré eux ; ce *bonheur* qu'ils vivent dans des barres infâmes où les conduisent des égouts à voitures – pardon, des périphériques.

1. *Ibid.*

2. Jean-Baptiste André Godin (1817-1888) fonde l'Association coopérative du travail et du capital, en partie

Pourtant, Charles Fourier est un homme extraordinaire, car il est le seul à avoir posé la question importante que pose à nouveau *La Carte et le territoire* : « Pourquoi l'homme travaille-t-il ? Qu'est-ce qui fait qu'il occupe une place déterminée dans l'organisation sociale, qu'il accepte de s'y tenir, et d'accomplir sa tâche[1] ? »

Et Houellebecq d'ajouter que les marxistes ont échoué parce qu'ils n'ont pas su motiver le travail.

C'est vrai. L'URSS était devenue un espace de chômeurs déguisés, de tire-au-flanc, d'écornifleurs divers. Le « travailler plus pour gagner plus » n'existait pas, mais l'appât du gain est réservé au capitalisme !

Fourier avait connu l'Ancien Régime. Il savait qu'au-delà de la racine commune, entre l'artisan et l'artiste existait une similitude de comportement dans la vie : un respect de la religion, et une sorte d'honneur du travail bien fait. Il imaginait donc une société où l'amour du travail bien fait ne ferait pas obstacle au désir de changer, de bouger, totalement humain lui

---

inspirée des travaux de Fourier. Il construit des bâtiments pour les ouvriers.

1. *La Carte et le territoire*, *op. cit.*

aussi. Ainsi, parmi les douze *passions radicales* qu'il conçoit, invoque-t-il la « papillonne », l'appétit pour le changement, qui faciliterait le passage entre des métiers tout aussi passionnants. Du côté de la sexualité, il prône une liberté presque totale mais réglée, des cohortes de charmantes facilitant la bonne humeur de l'homme au travail. On retrouve cette idée fouriériste dans la Confrérie des éternels de *La Possibilité d'une île*.

Mais quand la référence à la divinité et à l'amour du travail bien fait ont disparu, ce qui concerne quatre-vingt-dix-neuf pour cent des activités aujourd'hui, il ne reste que l'appât du gain.

L'appât du gain est bien un résidu. Un excrément. Dans la société capitaliste, le temps est tout, l'homme n'est plus rien, dit Marx, que la « carcasse du temps », le temps de la productivité, ce que Baudrillard traduit par : « l'homme devient l'excrément du temps. »

Et Houellebecq de faire un vibrant éloge de William Morris et des préraphaélites, pour lesquels « la distinction entre l'art et l'artisanat, entre la conception et l'exécution, doit être abolie[1] ».

1. *Ibid.*

C'est tout simplement extraordinaire. Car c'est exactement le vœu de Marx, qui rêve une société où la distinction entre travail manuel et travail intellectuel sera abolie. Autrement dit, où la division du travail n'aura plus de sens, car la première et fondamentale division du labeur entre les hommes est celle qui est érigée entre intellectuels et manuels. Dans la société communiste, le *travail* aura transcendé cette division et relèvera de l'art. Un art que chacun pratiquera à sa guise, qui violoniste le matin, dramaturge à midi, danseur le soir.

Houellebecq rejoint Keynes dans sa proclamation du « droit à la beauté ». Non seulement tout homme a droit à la beauté, mais « tout homme, à son échelle, pouvait être producteur de beauté – que ce soit dans la réalisation d'un tableau, d'un vêtement, d'un meuble[1] ». Ce droit à la beauté proclamé par le Bauhaus en 1919 est fondé sur le dépassement de l'opposition entre ce qui n'est pas opposable : l'art et l'artisanat. Et Houellebecq d'évoquer les « magnifiques métiers de l'artisanat ».

Avouons que c'est un beau message, on ne peut plus altruiste. « Nous sommes les derniers

1. *Ibid.*

représentants de l'artisanat auquel la production marchande a porté un coup fatal[1] », déclare William Morris cité par l'auteur de *La Carte et le territoire.* Chez lui, dans les rayons de sa bibliothèque, on trouve les utopistes : Marx, Proudhon, Fourier, Cabet, Saint-Simon, Owen, Carlyle, et aussi Marx et Auguste Comte. Et puis les *Souvenirs* de Tocqueville, visionnaire ironique, sur la table basse et, surtout, *De la démocratie en Amérique*, « le livre politique le plus intelligent jamais écrit[2] ».

L'homme, dont le destin est d'annihiler la nature par des réseaux compliqués de communication et des constructions urbaines toujours plus grandioses, a hélas fait confiance à des architectes minables, et leur fantasme de la productivité a horriblement et définitivement enlaidi les lieux où il gîte. Et là encore, on citera Keynes, qui demandait aux architectes de son temps de faire des immeubles magnifiques (ils en sont capables – voir la stupéfaction de Lovecraft, racontée par Houellebecq, devant les immeubles de Manhattan), pour que les ouvriers soient heureux de vivre dans la beauté.

1. *Ibid.*
2. *Ibid.*

La fin de *La Carte et le territoire* offre un éloge de l'artisanat préindustriel, marqué au sceau du christianisme médiéval, emprunté à William Morris. Les travailleurs sont vraiment libres. La conception et l'exécution ne sont plus distinctes.

Hélas, la machine à broyer capitaliste en a décidé autrement. Voici une « église impitoyablement restaurée », un « rond-point Emmanuel-Kant, [...] qui ne conduisait à rien, ne permettait d'accéder à aucune route, aux alentours duquel n'avait été bâtie aucune maison[1] », image parfaite de la stupidité et de la veulerie des urbanistes (on appréciera au passage l'humour de l'intitulé). Voici ces policiers de l'identité judiciaire, techniciens imbéciles aux appareils complexes, un peu comme les médecins, serviteurs d'outils compliqués, incapables d'imagination. Seul ce commissaire Jasselin, dont le bichon bâille ou jappe, tantôt aux citations de Schumpeter, tantôt à celles de Keynes, sort un peu du lot : il est intuitif, passéiste, désabusé, peu productif et, dès lors, véritablement efficace.

Michel Houellebecq aime-t-il les gens de métier ? Sans doute. Dans *Ennemis publics*, il

1. *Ibid.*

fait référence à la *common decency* d'Orwell, cet esprit particulier propre aux gens qui vivent dignement d'un travail utile : « En période de plein-emploi il y a eu une vraie *dignité des classes prolétariennes* [...]. Ces gens vivaient de leur travail, et n'ont jamais eu à *tendre la main*[1]. » C'est assez troublant. En tout cas, cette référence à la « dignité » des travailleurs et des gens qui vivent de leur travail sans avoir à tendre la main ni chercher à commander autrui éloigne définitivement Houellebecq du nihilisme contemporain. Ces gens de peu sont aussi hors de l'*hubris*, de l'accumulation forcenée, du gavage, du désir morbide d'argent. Ces hommes ont « un goût pour le *travail bien fait*, qui ne relève pas nécessairement d'une éthique protestante[2] ».

Certes non : le travail du protestant, ce n'est pas le travail bien fait ; c'est le travail pour le travail, le travail pour accumuler, le travail pour être « l'homme le plus riche du cimetière », comme le dit Max Weber. Le salaire des artisans en revanche relève du juste prix de saint Thomas, et les prix qu'ils proposent sont

---

1. *Ennemis publics* (avec Bernard-Henri Lévy), Flammarion/Grasset, 2008 ; J'ai Lu, 2011.
2. *Ibid.*

décents, et non spéculatifs. Leur vie est donc digne, même si elle est effroyablement limitée. Et notre romancier de vibrer aux bouleversantes images de 1936, rappelant que son père était en apprentissage à l'âge de quatorze ans. Citant Stendhal : « J'ai toujours et comme par instinct [...], profondément méprisé les bourgeois[1]. »

Il aurait pu citer Balzac : « L'ignoble bourgeoisie à qui le pouvoir est échu[2]. »

1. Stendhal, *Vie de Henri Brulard*, 1835-1836, parue en 1890.

2. Honoré de Balzac, *Monographie de la presse parisienne*, 1843.

Chapitre 5

AU BOUT DU CAPITALISME
ou Thomas Robert Malthus

« Le libéralisme économique, c'est l'extension du domaine de la lutte, son extension à tous les âges de la vie et à toutes les classes de la société. »

(*Extension du domaine de la lutte*)

« De tous les systèmes économiques et sociaux, le capitalisme est sans conteste le plus naturel. Ceci suffit déjà à indiquer qu'il devra être le pire. »

(*Extension du domaine de la lutte*)

« Au milieu du suicide occidental, il était clair qu'ils n'avaient aucune chance. »

(*Les Particules élémentaires*)

« Et, en tout, apercevoir la fin. »

(*Ennemis publics*)

Toujours, les économistes voulurent appliquer des lois naturelles aux comportements humains.

Ainsi, le *struggle for life* se retrouve dans la compétition des entreprises pour les marchés et des hommes pour les promotions, ou encore des hommes pour les femmes. Ainsi, les forts mangent les faibles pour l'amélioration... de quoi ? De l'espèce ? De son poids ? « Sommes-nous condamnés à être le peuple le plus gras ? » se demandait tristement Bush père.

Mais n'est-il pas, au fond, naturel que les forts triomphent des faibles ?

Les économistes ont rempli les bibliothèques de ces considérations vaguement évolutionnistes et raciales, à commencer par les premiers d'entre eux, Ricardo[1], Say[2] et, surtout, Malthus[3], qui sera ici le référent de Michel Houellebecq.

Malthus, pasteur des banlieues de Londres du temps de la Révolution industrielle (il publia son *Essai sur le principe de population* en 1798), est aussi le triste contemplateur de l'horreur de la condition ouvrière. Il n'a aucune envie d'y toucher. Il ne faut surtout pas aider les pauvres !

Les lois sur les pauvres créent les pauvres qu'elles assistent. Comme l'indemnité chômage crée le chômeur, et le revenu de subsistance l'assisté. Toute aide aux pauvres fera proliférer les pauvres. « Il faut désavouer publiquement le prétendu *droit* des pauvres à être entretenus aux frais de la société », lit-on dans l'*Essai.* « Un homme qui est né dans un monde déjà occupé [...] n'a aucun droit de réclamer la moindre nourriture et, en réalité, il est de trop. Au grand banquet de la nature, il n'y a point de couvert disponible pour lui ; elle lui ordonne de s'en

1. David Ricardo (1772-1823), agent de change, député et économiste anglais.

2. Jean-Baptiste Say (1767-1832), industriel et économiste français.

3. Thomas Malthus (1766-1834), économiste et pasteur anglican.

aller, et elle ne tardera pas elle-même à mettre son ordre à exécution[1]. »

La nature se chargera d'éliminer les faibles. Par les maladies, les famines, les guerres. Par le réchauffement climatique, dit Michel Houellebecq (le grand assèchement de *La Possibilité d'une île*). Comme l'appétit des hommes pour le sexe est sans frein, et qu'en revanche les ressources alimentaires sont bien limitées, voilà comment la surpopulation finira par avoir raison de l'espèce humaine. Lévi-Strauss pensait que cette surpopulation pourrait conduire à une sorte d'implosion démographique, de suicide de l'humanité, comme ces vers de farine qui, lorsqu'ils sentent la surpopulation menacer, meurent ensemble, ou ces lemmings qui, soumis à la pression démographique, se précipitent en masse vers la noyade.

Sous l'apparente « douceur » du marché couve la violence. Tisserand, le cadre d'*Extension du domaine de la lutte*, est performant dans sa boîte, et un total *loser* en amour. Grotesque, il finira par se suicider approximativement en se tuant en voiture.

---

1. Thomas Malthus, *Essai sur le principe de population*, 1798.

Le thème du suicide occidental au terme du capitalisme hante l'œuvre de Houellebecq. Seule la mort de l'humanité peut achever le capitalisme, qui est « dans son principe un état de guerre permanente, une lutte perpétuelle qui ne peut jamais avoir de fin[1] ». Et ce système est essoufflé. « Il y a eu une longue phase historique d'augmentation de la productivité, qui est en train d'arriver à son terme[2]. »

Ce monde violent devait bien finir par retourner la violence sur lui-même. Dans *La Conversation de Palo Alto*, un tableau de Jed Martin[3], Steve Jobs et Bill Gates devisent de l'avenir de l'informatique dans la tristesse d'un soleil couchant. Ce tableau n'est autre qu'une brève histoire du capitalisme, dit Houellebecq, et il évoque sa fin. Jobs, debout, le regard dur, mourant d'un cancer, domine Gates, assis, le regard rêvant au couchant. La mort triomphe.

Dans cette fin, le sexe a joué son rôle. L'obsession sexuelle s'ajoute à la compétition pour l'argent et l'exacerbe. Là encore, la métaphore économique est évidente : il y a « compétition

1. *Plateforme*, *op. cit.*
2. *La Carte et le territoire*, *op. cit.*
3. *Ibid.*

pour le vagin des jeunes femmes[1] », et l'obsession sexuelle est tout à fait comparable à l'obsession consumériste. On en veut de plus en plus, on est de moins en moins satisfaits, et le consommateur de vidéos porno n'éteint jamais son désir, comme ce pacha qui, déçu par le strip-tease d'une bayadère, demandait avec lassitude un petit plus : qu'on l'écorche.

Il n'y a pas moins machiste, plus respectueux des femmes que Michel Houellebecq. On n'écrit pas impunément à plusieurs reprises que la chose la plus proche de Dieu est le sexe de la femme – et les chrétiens y verront avec plaisir une réminiscence cachée de la mère de Dieu. Mais l'obsession sexuelle est autre chose. Elle est en fait l'une des manifestations du mal[2].

Du fait de leur narcissisme exacerbé, les Occidentaux n'arrivent plus à coucher ensemble. Leur culte de la performance, leur individualisme forcené, font qu'ils ne possèdent plus ce minimum de générosité, cette capacité au don sans laquelle l'amour ne peut exister.

---

1. *Plateforme*, *op. cit.*

2. « La sexualité lui apparaissait de plus en plus comme la manifestation la plus directe et la plus évidente du mal. » (*La Carte et le territoire*, *op. cit.*)

Leur manque sexuel permanent et le dépérissement de leur sexualité conduisent à la consommation lassée de produits pornographiques ou à de vagues échangismes aussi démodés que l'auto-stop.

L'amour implique de l'abandon, de la faiblesse, de la dépendance – ce dont les Occidentaux vénaux jusqu'à la moelle sont désormais incapables. La générosité, on la retrouve même chez la petite pute malaisienne de *Plateforme*, qui se laisse aller sur les genoux d'un vieil Allemand ventru en l'appelant... Papa, tandis que les yeux de l'ancêtre se mouillent de gratitude.

De ce dépérissement occidental, Houellebecq tire une simple théorie de l'offre et de la demande, ou, plutôt, une constatation : le Nord, vieux, a l'argent, le Sud, jeune, a le cul – échangeons ! Le résultat sera un métissage généralisé qui ne lui déplaît pas. (On retrouve cette même ironie de l'offre et la demande à propos du tourisme dans *La Carte et le territoire* : les Chinois ont l'argent, nous avons le terroir *bien d'chez nous*. Là encore, échangeons !)

Le désir est à la fois fragile et inextinguible. Plus les hommes se lassent de consommer, plus la pub les stimule, plus les *nouveautés* affluent. Et leur désir vacillant est ravivé.

Intervient ici une autre loi malthusienne, plus tard reprise par Marx. Marx détestait Malthus, parce qu'il lui en voulait d'avoir découvert en substance la célèbre loi de la baisse tendancielle du taux de profit, liée à la concurrence. Au bout de la concurrence, le profit est nul – grand principe économique. À la baisse tendancielle du *taux de profit*, ajoute Michel Houellebecq, correspond la *baisse tendancielle du taux de désir* : cette société ne sait plus comment attiser le désir, exciter les sens. L'explosion de la pornographie, des saunas, des lieux échangistes, n'arrive pas à stopper cette lassitude.

Dans cette dégradation, cette « détumescence », les hommes et les femmes luttent contre les ravages du temps. On veut rester jeune, on pense constamment à son âge. L'obsession sexuelle, inversement corrélative du déclin sexuel, est source d'une grande souffrance. Le sexe ronge les humains. Dès que l'humanité sera « en mesure de contrôler sa propre évolution biologique, la sexualité apparaîtra alors clairement comme ce qu'elle est : une fonction inutile, dangereuse et régressive[1] ».

1. *Les Particules élémentaires*, *op. cit.*

Les pères de l'économie politique – Ricardo, Adam Smith – étaient aussi pessimistes que Malthus. Ils voyaient dans l'avenir de la compétition de tous contre tous un monde transformé en bidonville, où une infime minorité de riches voisinerait avec des masses de miséreux survivant à leur *minimum vital.* Lorsque le nénuphar, à force de grossir, a occupé la surface de l'étang, il finit par étouffer et crever. C'est donc la transformation du monde en vaste zone de misère qui est l'avenir de l'humanité.

Là encore, notre auteur rejoint les classiques. La prolifération des hommes a détruit la nature. Houellebecq n'aime pas la nature : elle n'est pas bonne en soi, elle est plutôt hostile, très hostile même, et le destin de l'homme est de l'anéantir[1].

C'est d'ailleurs ce qui se passe. Bientôt il n'y aura plus de grands animaux, ni d'arbres, ni de poissons dans les mers. L'homme aura achevé son travail. L'homme ne fait pas partie de la nature, la nature lui est hostile, « et sa mission est de l'exterminer ». Ce mammifère ingénieux,

1. Lire par exemple dans le poème « Nature » : « Car la nature est laide, ennuyeuse et hostile ; / Elle n'a aucun message à transmettre aux humains. » (*La Poursuite du bonheur*, *op. cit.*)

est un inventeur d'outils et un créateur de villes. La bidonvilisation du monde passe par l'édification de mégapoles gigantesques, aussi complexes que les enchevêtrements qui les lient.

Dans *La Possibilité d'une île*, l'espèce humaine a quasiment disparu, ou ne survit, répugnante, qu'à l'état brutal et sauvage, stupide et cruel, après ce qui fut une catastrophe nucléaire, consécutive sans doute à une guerre. Seuls des *nantis* survivent éternellement.

Qu'est *La Possibilité d'une île*, sinon une métaphore de notre monde, où une minorité de milliardaires accapare la quasi-totalité des richesses de la planète ? Sans doute nos milliardaires, dont la richesse fait boule de neige, seront-ils les futurs *clonés*, ceux qui pourront profiter des progrès de la médecine et de la science quand la quasi-totalité des humains n'y aura plus accès. La disparition de l'espèce humaine doit être acceptée avec résignation et douceur.

Les clonés vivent éternellement, sous la douce loi de la Sœur suprême. Ainsi, le matriarcat a triomphé enfin de la brutalité masculine, corrélative de la société libérale.

Les valeurs féminines sont remplies d'altruisme, d'amour, de compassion, de fidélité. Dans le monde moderne, notre monde, ces valeurs sont jugées ridicules ou dérisoires. Mais il est possible que dans l'histoire de l'humanité, la masculinité soit une « parenthèse dangereuse ». Ainsi, la surhumanité des clonés éternels retrouverait la vieille mythologie, où étaient adorées les déesses-mères, avant que les mythologies judaïque et hellénique ne viennent imposer la supériorité des mâles. Avec elle s'imposent les vertus guerrières et... économiques.

Certes, les libéraux ont toujours voulu nier la guerre économique. Ils ont même prétendu que le commerce adoucissait les mœurs, et qu'à transiger et échanger, les hommes évitaient de se tuer. Le commerce permettrait la « conciliation raisonnée des égoïsmes, erreur du siècle des Lumières à laquelle les libéraux continuent à se référer dans leur incurable niaiserie (à moins que ce ne soit un cynisme, qui d'ailleurs reviendrait au même)[1] ». Par une ruse de la raison, le conflit des égoïsmes conduirait... à l'harmonie.

La réalité est que le monde de l'économie est celui de la haine et des coups terribles, insidieux et sournois, des lentes et secrètes tortures, invisibles souvent, mortelles parfois, délétères toujours.

1. *Interventions*, *op. cit.*

Se battant dans la cage du temps, croyant avancer, ils ne font que tourner en rond, comme des hamsters dans la roue du temps, « le temps, le temps très vieux qui prépare sa vengeance[1] », le temps qui n'a jamais pitié. Mais cette roue finit par les broyer.

Ils, qui *ils* ? Les mâles. Car la compétition est une valeur mâle, virile, chaotique, et relève de la volonté de puissance. La volonté de puissance fait l'histoire, et généralement, les hommes font l'histoire.

Les Particules élémentaires racontent le même *happy end* pour *happy few*. Les hommes disparaissent, les éternels – qui sont probablement des femmes – arrivent. Elles sauvent ce monde brutal, égoïste et mauvais, car elles sont capables de *bonté*, un mot inadmissible pour notre époque, que Houellebecq utilise sans sourire et avec émotion. Ne méritent d'être sauvés que ceux qui « pratiquent la pensée de l'amour, [...] ne tuent pas ni ne pensent à nuire, [...] ne cherchent pas à se faire valoir en humiliant autrui[2] ». Avouez, ami lecteur, que vous avait

1. « So long », in *Le Sens du combat*, *op. cit.*
2. *Les Particules élémentaires*, *op. cit.*

échappé cet évangélisme de l'auteur le moins angélique qui soit...

Au terme de ce roman désespéré où les deux protagonistes les plus attachants, Michel Djerzinski et Annabelle, l'un malgré son intelligence, l'autre malgré sa beauté, n'ont pas réussi à connaître l'amour en dépit de leur attirance réciproque, Michel Djerzinski apporte à l'humanité l'immortalité physique. Sa théorie révolutionnaire, aussi importante que put l'être en son temps la découverte de la relativité, lui permet non seulement de « dépasser le concept de liberté individuelle, [...] mais de restaurer les conditions de possibilité de l'amour[1] », détruites par le monde de l'économie. Djerzinski restitue le lien.

Dans ses *Prolégomènes à la réplication parfaite*, le savant offre la théorie qui va permettre la réplication des humains. Lui qui n'a jamais connu l'amour de la femme qu'il aimait, songe que les femmes sont meilleures.

L'humanité mâle ayant disparu naîtra « une nouvelle espèce, asexuée et immortelle, ayant dépassé l'individualité, la séparation et le deve-

1. *Ibid.*

nir[1] ». D'hostile et sinistre, le monde doit devenir rond et chaud « comme le sein d'une femme ». Décidément… C'est un message marxiste, du Marx utopiste des *Manuscrits de 1844*, qui voyait dans le communisme une sorte de christianisme laïcisé !

Les épigones du savant, pour favoriser le projet de clonage, utilisent le slogan : « DEMAIN SERA FÉMININ ». Et les nouveaux dieux de saluer l'espèce qui les engendra, cette espèce douloureuse et vile, torturée, contradictoire, individualiste et querelleuse, d'un égoïsme illimité, parfois capable d'explosions de violence inouïes.

Les hommes avaient extirpé l'amour de leur cœur. Dans le matriarcat de *La Possibilité d'une île* préparé par les découvertes du Djerzinski des *Particules élémentaires*, la Sœur suprême enseigne que le désir et l'appétit de procréation ont la même origine : la souffrance de l'être et la recherche de l'autre.

Les éternels ont donc éliminé le sexe, le désir, l'argent, sources du mal ; ils vivent cette vie douce et un peu grise, sans contacts et sans violence. Mais ils souffrent encore, hélas ! Ils souffrent… de ne pas connaître l'amour.

1. *Ibid.*

Daniel 25 part donc à sa recherche dans un monde vide, où il disparaît, néant dans le néant. Lui qui, dans la lumière déclinante, assistait sans regret à la disparition de l'espèce, l'espèce des hommes-hommes, vile, sale, brutale, malodorante, querelleuse, vicieuse, avide de sang et de torture, qui a vu tuer la nature, immense espace quasiment stérile, est à son tour englouti par elle.

À la fin de *La Carte et le territoire*, l'espèce humaine disparaît également, même si la France connaît une période de rémission. Elle devient une sorte de musée et échappe provisoirement à la crise finale : les vieux métiers reviennent – maréchal-ferrant, vannier, ferronnier, taillandier. Même le bordel revient, *à l'ancienne*. Les Français sont redevenus des *ruraux*, ils vendent leur *art de vivre*, leur manière typique de porter le béret et de se laver modérément. On se promène dans un musée des Coutumes locales. Hortillonnage et dinanderie font leur réapparition. L'industrie a rendu l'âme. Comme dans la jungle étouffant les anciens temples, la végétation recouvre les anciens ateliers. Tout est rouillé quand cela ne s'est pas effondré. Certaines usines sont transformées en musées. L'Europe, ce « colosse industriel », n'est plus qu'un champ de ruines industrielles.

Méditation nostalgique de Houellebecq sur la fin de l'âge industriel en Europe et, plus généralement, sur le caractère périssable et transitoire de toute industrie humaine. Et l'espèce humaine disparaît. « Il n'y a plus que les herbes agitées par le vent. Le triomphe de la végétation est total[1]. »

Malthus avait raison. L'homme avait voulu épuiser la nature, et il est mort épuisé. Il n'en pouvait plus. « La vérité, c'est que les hommes étaient simplement en train d'abandonner la partie[2]. »

1. *La Carte et le territoire*, *op. cit.*
2. *La Possibilité d'une île*, *op. cit.*

Épilogue

Qui mérite la vie éternelle ? ou (de nouveau) John Maynard Keynes

« Ils avaient vécu dans un monde pénible, un monde de compétition et de lutte, de vanité et de violence ; ils n'avaient pas vécu dans un monde harmonieux. »

(*Les Particules élémentaires*)

« Toute civilisation pouvait se juger au sort qu'elle réservait aux plus faibles. »

(*La Possibilité d'une île*)

« J'ai eu de plus en plus souvent, il m'est pénible de l'avouer, le *désir d'être aimé*. »

(*Ennemis publics*)

Houellebecq parle-t-il d'économie ?

Non, direz-vous, et vous aurez raison. Comme tout grand écrivain, il parle de ce dont parle tout poète ou écrivain depuis l'aube des paroles ou de l'écriture, comme Homère dans l'*Iliade* où le destin poursuit Hector, Ronsard dans « Mignonne allons voir si la rose » ou Proust dans *La Recherche* : il parle de l'irréversibilité du temps. « S'il y a une idée, une seule, qui traverse tous mes romans, jusqu'à la hantise parfois, c'est bien celle de *l'irréversibilité absolue de tout processus de dégradation*, une fois entamé[1]. »

Or l'économie libérale est fondée sur le postulat d'inexistence de la flèche du temps,

1. *Ennemis publics*, *op. cit* ; Michel Houellebecq souligne.

comme la mécanique newtonienne, c'est-à-dire sur la réversibilité du temps. Les prix montent, mais la loi de l'offre et de la demande les fera baisser. Le chômage augmente, mais la baisse des salaires le fera baisser, etc. Tout finit toujours par s'arranger. Les ressources s'épuisent ? La productivité résoudra le problème. Les espèces disparaissent ? L'homme en créera de nouvelles. Tout conduit toujours à l'équilibre, exactement comme une bille jetée dans un bol finit par se stabiliser après un certain nombre d'oscillations qui correspondent au jeu de l'offre et de la demande.

Ce postulat de réversibilité a été évidemment critiqué par les économistes « historicistes » (Marx), également par Nicholas Georgescu-Roegen[1], le seul à avoir tenté d'appliquer la notion d'entropie à l'économie, et toujours par notre cher Keynes, qui utilisait l'image du calme après la tempête, pour qualifier le mythe libéral de l'équilibre suite au jeu de l'offre et de la demande : après toute tempête revient le calme, comme revient l'équilibre,

1. Ce mathématicien (1906-1994) publie en 1971 *The Entropy Law and the Economic Process*, trad. *La Décroissance, Entropie – Écologie – Économie*, Sang de la Terre, 2006.

sauf qu'entre-temps, le monde a pu être dévasté. Mais le courant dominant des économistes, les Nobel, les experts, les conseillers, méprise Marx ou Georgescu-Roegen, et plus encore Keynes.

Houellebecq parle donc d'économie contre les économistes, qui ne peuvent concevoir une quelconque dégradation ou irréversibilité. Les sornettes de *fin de l'histoire* à la Fukuyama ou la *reproduction* à la Bourdieu le font sourire. L'entropie s'applique à l'espèce humaine elle-même, qui a entamé avec sa civilisation son processus de dégradation et d'accroissement du désordre. Et elle s'applique au capitalisme[1].

Chacun entame son propre processus de dégradation en vieillissant. Il n'y a pas de deuxième chance. Ce qui est perdu est perdu à jamais. La vie ne repasse pas les plats.

Est-ce cette dégradation qui est à l'origine de la méchanceté et du mal que portent les mâles ? Sans doute. Les femmes, au contraire, plus que quiconque, subissent la violence, la torture, les

1. « On vivait une période idéologiquement étrange, où tout un chacun en Europe occidentale semblait persuadé que le capitalisme était condamné. » (*La Carte et le territoire*, *op. cit.*)

coups, comme tous les faibles, comme Bruno, le petit pensionnaire des *Particules élémentaires* qui subit la torture des nazillons de son dortoir et le rire hideux des vainqueurs. Ricanement et cynisme, les mamelles de notre civilisation.

Ce monde, notre monde, s'enfonce dans l'horreur et le désordre, malgré l'allongement de l'espérance de vie – ce leurre qui ne fait qu'étirer les vies ratées, comme les crèmes antivieillissement voudraient étirer les rides. Croissez, multipliez, vivez plus longtemps, traînez sur cette terre !... Au terme de votre dégradation, vous finirez par redevenir des particules élémentaires.

Bien entendu, aucun problème humain ne peut être résolu sans une stabilisation de la population mondiale, une gestion intelligente des ressources renouvelables, le retour à une économie du cycle et non de la croissance, la prise en compte des dangers climatiques... Et Houellebecq d'expliquer qu'il a ressenti comme une mission de témoigner pour notre monde : « J'ai toujours préféré la poésie, j'ai toujours détesté raconter des histoires. Mais là j'ai senti [...] comme une espèce de *devoir* [...] : j'étais requis à sauver les phénomènes[1]. »

1. *Ennemis publics*, *op. cit.*

C'est pourquoi il écrit *Extension du domaine de la lutte*, qui est un « livre salutaire, qui ne pourrait plus être publié aujourd'hui. Parce que nos sociétés en sont maintenant arrivées à ce stade terminal où elles refusent de reconnaître leur mal-être[1]. » C'est pourquoi il écrit *La Carte et le territoire*, où son héros Jed Martin *sauve* les phénomènes, les objets et l'espace par ses photos, par ses tableaux, puis les métiers de cette époque de fer où la croissance et la compétition étaient encore au rendez-vous. Il témoigne pour notre temps de concurrence et de mondialisation économique. Il témoigne sur le sens du bien et du mal dans la civilisation marchande et technicienne[2].

Certes, le capitalisme connaît des moments de paix, et notre poète se réjouit de vivre dans un monde provisoirement pacifié, où la renonciation à la violence physique comme mode de règlement des conflits lui est apparue comme un des seuls avantages du passage à l'âge adulte.

1. *Ibid.*
2. « Le sens du bien et celui du mal [...] se manifestent en moi avec une surprenante violence lorsqu'ils sont sollicités (jamais je ne trouve d'excuse au criminel ; jamais je ne relativise un acte de charité). » (*Ennemis publics*, *op. cit.*)

Heureux les doux. Heureux les vaincus. Heureux ceux que Nietzsche qualifiait d'hommes du ressentiment et d'esclaves, et pour qui un homme qui se fit passer pour Dieu subit le supplice des esclaves, la crucifixion.

Mais Michel Houellebecq n'est pas chrétien, *car on ne peut pas pardonner.* La haine des autres, de sa mère, des tortionnaires du dortoir, de ce garçon qui danse avec la fille qu'il désire, la souffrance, les larmes, furent d'éternelles scarifications et le terreau de sa poésie. Des monstres lui ont appris à ne pas s'aimer et ne pas aimer la vie. « Apprendre à devenir poète, c'est désapprendre à vivre[1]. »

Vivre ? Mais qui parmi vous, les souffrants et les tortionnaires, mérite la vie éternelle ?

Il n'y a pas plus de bons parmi les pauvres que de méchants parmi les riches. Surtout pas ! La violence est pire en bas qu'en haut. Regardez ces rixes de clochards... Il n'y a pas de *victimes sociales* ; il y a des bourreaux et des victimes. Et il y a ceux qui méritent de survivre.

Ceux-là sont ceux qui sont capables de bonté. Et là encore, notre poète est à l'opposé du monde des économistes où ne doivent régner

1. *Rester vivant*, *op. cit.*

que l'égoïsme, la cruauté et le cynisme. L'altruisme, la coopération sont des notions antiéconomiques, comme la compassion, le don, la générosité et, bien entendu, l'acte suprême, l'amour.

« La face lumineuse, c'est la compassion, la reconnaissance de sa propre essence dans la personne de toute victime, de toute créature vivante soumise à la souffrance. La face sombre, c'est la reconnaissance de sa propre essence dans la personne du criminel, du bourreau ; de celui par qui le mal est advenu dans le monde[1]. » Nietzsche contre Platon et Schopenhauer, ces deux derniers qu'il ne considère plus comme des maîtres, mais comme des... *collègues* !

Prenons ce mot au sérieux chez celui qui nous fait tant sourire.

Le capitalisme promet la vie éternelle. C'est ce qu'avait magnifiquement compris Keynes, le seul économiste dont le nom mérite d'être retenu, car il plaçait l'art et la littérature au-dessus de tout, et notamment des *entrepreneurs* qu'il traitait avec ironie (« Ils n'ont pas pu être des artistes »).

1. *Ennemis publics*, *op. cit.*

Le capitalisme s'adresse à des enfants dont l'insatiabilité, le désir de consommer sans trêve vont de pair avec la négation de la mort. C'est pourquoi il est morbide. Le désir fou d'argent, qui n'est qu'un désir d'allonger le temps, est enfantin et nuisible. Il nous fait oublier le *vrai* désir, le seul désir adorable, le désir d'amour. Comme Midas qui, transformant tout en or, courait à son suicide, le cadre-consommateur ruine le monde en voulant s'enrichir.

Ces acheteurs qui se croient éternels, qui veulent rajeunir en consommant et se noient sous la pacotille, sont le chœur des romans de Houellebecq : ils sont la « rumeur subtile des échanges sociaux » dans l'océan où se meuvent Tisserand, Bruno, Michel, Daniel, Jed… et surtout Annabelle, Olga, Valérie…

Houellebecq économiste était un sourire, bien sûr… Un sourire pour dévoiler la triste morale et la forte poigne dissimulées sous les oripeaux d'une science. Car il n'y a pas de science économique ; il y a de la souffrance masquée sous de l'offre et de la demande, autrement dit de la poésie et de la compassion constamment laminées par le talon de fer du marché – marché des biens, du travail, du sexe.

« Elle voyait bas, elle voyait juste », fait dire Céline à l'un de ses personnages dans *Mort à crédit*. C'est de vie à crédit qu'il s'agit chez Michel Houellebecq, et le désespoir de ses personnages n'a rien à envier à ceux du docteur fou de Meudon.

Dans les rues désertes de Rouen errent des bandes de jeunes, analphabètes et antipathiques, vaguement violents, tandis que les ascenseurs de la Défense portent des cadres stressés, dévoués à leur boîte, à leurs chefs et à leurs rétributions, fébriles et malheureux, ignares malgré leurs tableaux Excel ; au pied des rutilants immeubles, se battent des clochards ; de vieux hommes achètent de jeunes sexes, tandis que des ados martyrisent un plus jeune, et qu'une hippie laisse crever son rejeton dans les excréments ; des *snuff movies* exhibent des actes de barbarie inouïe contemplés par des partouzards ; et tout ce monde immonde se farde des mots de l'économie : croissance, compétition, commerce, exportations... Quelle farce !

Osez regarder ce que vous êtes, petits esclaves bien nourris, osez regarder la ruine où vous conduit votre course. Vous vous précipitez en concurrence du haut des falaises, comme les porcs de la Bible. Osez regarder votre suicide collectif ! « N'ayez pas peur du bonheur, il n'existe pas. » On a voulu en faire une idée neuve pour vous, nigauds, puis la quantifier, ce fut le rôle de l'économie, née de la toute-puissante raison, des Lumières et de la Révolution. On vous promet du *pouvoir d'achat* ou des *emplois* ou des objets, et vous n'êtes que des chiffres dans des tableaux dressés par des employés du chiffre. Et encore : un chiffre a plus de réalité que vous, il appartient au monde mathématique, et vous ne valez même pas la série de votre carte de Sécu.

À moins que… À moins que vos yeux se dessillent au mot « amour » ?

Allons donc ! Pour vous rabaisser, on a inventé les films porno, les clubs échangistes, et le cap d'Agde.

Rien. Rien ne vous sauvera.

> « Rien, cette écume, vierge vers,
> À ne désigner que la coupe ;
> Telle loin se noie une troupe[1] »

Votre vie n'a pas plus de valeur que celle d'une portée de chatons promis à la noyade.

Non. Vous n'ouvrirez pas les yeux. Jamais vous ne balayerez la poussière grise des chiffres, de la pub, des slogans, qui macule vos yeux, que

---

1. Stéphane Mallarmé, « Salut », in *Poésies*, 1899.

vous ne pouvez déjà plus ouvrir, pauvres chevaux dont on crevait les yeux avant de les descendre à la mine.

Et c'est bien. Sur les terrils, la végétation…

BIBLIOGRAPHIE

Michel Houellebecq

H. P. Lovecraft : contre le monde, contre la vie, Le Rocher, 1991 ; J'ai Lu, 1999.

La Poursuite du bonheur, La Différence, 1991.

Rester vivant, La Différence, 1991.

Extension du domaine de la lutte, Maurice Nadeau, 1994 ; J'ai Lu, 1997.

Le Sens du combat, Flammarion, 1996.

Rester vivant suivi de *La Poursuite du bonheur* (édition revue par l'auteur), Flammarion, 1997.

Interventions, Flammarion, 1998.

Renaissance, Flammarion, 1999.

Les Particules élémentaires, Flammarion, 1998 ; J'ai Lu, 2000.

Rester vivant et autres textes, Librio, 1999.

Lanzarote, Flammarion, 2000.

Plateforme, Flammarion, 2001 ; J'ai Lu, 2002.

Lanzarote et autres textes, Librio, 2002.

Poésies (*Le Sens du combat*, *La Poursuite du bonheur*, *Renaissance*), J'ai Lu, 2006.

La Possibilité d'une île, Fayard, 2005 ; Le Livre de Poche, 2007 ; J'ai Lu, 2013.

Ennemis publics (avec Bernard-Henri Lévy), Flammarion/Grasset, 2008 ; J'ai Lu, 2011.

Interventions 2 : traces, Flammarion, 2009.

Poésie (*Rester vivant*, *Le Sens du combat*, *La Poursuite du bonheur*, *Renaissance*), J'ai Lu, 2010.

La Carte et le territoire, Flammarion, 2010 (prix Goncourt 2010) ; J'ai Lu, 2012.

Autres auteurs

BALZAC Honoré de, *Monographie de la presse parisienne*, 1843.

BETTELHEIM Bruno, *Le Cœur conscient*, Robert Laffont, 1972 ; Le Livre de Poche, 1977 ; Pluriel, 1985.

BORGES Jorge Luis, *Histoire de l'infamie, histoire de l'éternité*, Le Rocher, 1958 ; UGE 10/18, 1964 ; C. Bourgois, 1985 ; Pocket, 1998.

Fictions, Gallimard, 1951 ; Folio, 1974.

DOSTALER Gilles et MARIS Bernard, *Capitalisme et pulsion de mort*, Albin Michel, 2009 ; Pluriel, 2010.

FREUD Sigmund, *Malaise dans la civilisation*, 1929 ; trad. 1934.

GATES Bill, *La Route du futur*, Pocket, 1997 ; Robert Laffont, 1999.

GEORGESCU-ROEGEN Nicholas, *La Décroissance, Entropie – Écologie – Économie*, Sang de la Terre, 2006.

KEYNES John Maynard, *Traité sur la monnaie*, 1930.

Essays in persuasion, Londres, Macmillan, 1931 ; trad. *Essais sur la monnaie et l'économie*, Petite Bibliothèque Payot, 2009.

MALTHUS Thomas, *Essai sur le principe de population*, 1798.

NOGUEZ Dominique, *Houellebecq, en fait*, Fayard, 2003.

RIMBAUD Arthur, *Les Illuminations*, 1872-1875, parues en 1886 (Librio, 2014).

SAINT-SIMON Claude Henri de Rouvroy, comte de, *Œuvres complètes*, PUF, 2012-2013.

SEN Amartya K., *Rational Fools : A Critique of the Behavioural Foundations of Economic Theory*, Philosophic and Public Affairs, 1977.

STENDHAL, *Vie de Henri Brulard*, 1835-1836, parue en 1890.

Table

Composition et mise en page

CET OUVRAGE
A ÉTÉ ACHEVÉ D'IMPRIMER
SUR ROTO-PAGE
PAR L'IMPRIMERIE FLOCH
À MAYENNE EN JANVIER 2015

N° d'édition : L.01EHBN000595.A005. N° d'impression : 87929
Dépôt légal : septembre 2014
(Imprimé en France)